Technical Basics

Technische Übungen für Piano-Akkordeon
(Standardbass)

Für Einsteiger und Fortgeschrittene

VHR 1850 / ISMN 979-0-2013-0861-6 / ISBN 979-3-86434-016-1

Notensatz:
Regina Krauß, Speyer

Umschlaggestaltung:
Gerhard Illig, Schwaig bei Nürnberg

www.holzschuh-verlag.de

Die wichtigsten Register im Diskant

- 16 Fuß oder 0 – wie Oktave
- 8 Fuß oder E – wie einchörig
- 4 Fuß oder P – wie piccolo
- 8 + 4 Fuß oder EP – wie einchörig + piccolo
- 2 x 8 Fuß oder Tremolo (gegeneinander verstimmt)

Diese Grundregister lassen sich je nach Instrument vielfältig kombinieren.

Der **Bassschlüssel** legt das *kleine f* auf der vierten Notenlinie fest.

Bass-Pattern-Beispiele

Die Basstabelle

Terzbässe	Grundbässe	Dur-Akkorde	Moll-Akkorde	Septim-Akkorde	verminderte Septim-Akkorde
D	A♯	a♯	a♯m	a♯7	a♯°7
G	D♯	d♯	d♯m	d♯7	d♯°7
H♯	G♯	g♯	g♯m	g♯7	g♯°7
E♯	C♯	c♯	c♯m	c♯7	c♯°7
A♯	F♯	f♯	f♯m	f♯7	f♯°7
D♯	H	h	hm	h7	h°7
G♯	E	e	em	e7	e°7
C♯	A	a	am	a7	a°7
F♯	D	d	dm	d7	d°7
H	G	g	gm	g7	g°7
E	C	c	cm	c7	c°7
A	F	f	fm	f7	f°7
D	B	b	bm	b7	b°7
G	E♭	e♭	e♭m	e♭7	e♭°7
C	A♭	a♭	a♭m	a♭7	a♭°7
F	D♭	d♭	d♭m	d♭7	d♭°7
B	G♭	g♭	g♭m	g♭7	g♭°7
E♭	C♭	c♭	c♭m	c♭7	c♭°7
A♭	E	e	em	e7	e°7
D♭	A	a	am	a7	a°7

Inhalt

Allgemeine Vorbemerkungen

VIDEO
Intro

Technical Basics enthält zahlreiche Anregungen zum Erlangen und Vervollständigen einer guten Spieltechnik sowie eine Auswahl von Fingerübungen, die sich auch zum Einspielen eignen. Diese Ausgabe ist sowohl für Einsteiger und Wiedereinsteiger als auch für fortgeschrittene Akkordeonisten geeignet. Die Übungen sind als Ergänzung zu Akkordeonschulen gedacht.

Zunächst ist es wichtig, sich „festen Halt" zu verschaffen. Der Spieler sollte mit seinem Instrument ergonomisch richtig verbunden sein. Voraussetzung hierfür ist die richtige Größe des Instruments, eine aufrechte Haltung sollte gewährleistet sein.

Der Balg liegt auf dem linken Oberschenkel und die Tastatur sollte sich etwa unter dem Kinn befinden. Der rechte Ellbogen sollte so hoch genommen werden, dass die rechte Hand mit geradem Handgelenk gespielt werden kann.

Der Balgriemen sollte nicht zu locker sein, da sich sonst bei Zug und Druck der Abstand zu den Knöpfen drastisch verändert, was die „Trefferquote" deutlich verringert.

Falls erforderlich können neue Haken angebracht werden, so dass der Hals nicht eingeengt wird. Empfehlenswert sind Riemen, die man je nach Bedarf schnell verstellen kann, ohne das Instrument abnehmen zu müssen. Mit diesen kann man je nach Haltung, also im Sitzen oder im Stehen, den Schwerpunkt optimal einstellen.

Ein besonderer Dank gilt meinem Lehrer Guido Wagner, dessen Übungen ich hier mit einbezogen habe.

Heinz Hox

Die ergänzenden Videos sind über die QR-Codes abrufbar oder zu finden unter:
www.holzschuh-verlag.de
www.heinzhox.de
www.youtube.com/user/HolzschuhVerlag

Anmerkungen zu den Übungen

- Die Übungen dienen dem Kräftigen der Finger, deren Unabhängigkeit und einem gleichmäßigen Spiel. Einige Übungen erscheinen auf den ersten Blick sehr leicht, haben es aber in sich, wenn man sie ernst nimmt. Wichtig ist ein genaues und sorgfältiges Spiel.

- Teilweise wurde auf Buchstaben für Basstöne verzichtet. Dafür gibt es vorne in der Ausgabe eine Seite zum Ausklappen, die alle notwendigen Informationen enthält.

- In der Regel sollten die Übungen einchörig (8′) gespielt werden, zuerst streng legato (gebunden), anschließend jedoch auch mit verschiedenen Artikulationen, also tenuto (lang), staccato (kurz), leggiero (leicht). Sie sollten auch rhythmisch variiert gespielt werden, also punktiert, triolisch etc.

- Alle Übungen werden beliebig oft wiederholt. Sie beginnen sehr langsam und werden dann schneller. Selbst bei „Höchstgeschwindigkeit" sollte alles noch korrekt ausgeführt sein. Wenn diese „Höchstgeschwindigkeit" erreicht ist, geht es zur nächsten Übung. Mit Hilfe eines Metronoms kann man die Übungen auch im gleichen Tempo mit mehreren Wiederholungen pro Takt ausführen.

- Die meisten Übungen können leise gespielt werden; nur so laut, dass ein gleichmäßiger Ton entsteht. Es geht ja nicht um das Kräftigen des linken Arms sondern um das Kräftigen der Finger.

- Fortgeschrittene sollten die Übungen in verschiedenen Tonarten spielen.

- Die Tasten sollten sehr bewusst und gerade am Anfang und zu Beginn jeder neuen Übung kräftig niedergedrückt werden, um die Muskulatur zu kräftigen. Bei zunehmender Geschwindigkeit lässt der Druck nach und die Finger werden sehr leicht über die Tasten geführt. Gerade bei starkem Druck dürfen die Fingergelenke nicht einknicken; das Einknicken verhindert ein präzises Spiel.

- Die Notation ignoriert zuweilen den klingenden Oktavsprung im Bass zugunsten eines komfortableren Notenbildes (das Akkordeon hat im Bass nur einen Tonumfang von einer großen Septime).

- Es wird die internationale Schreibweise verwendet: B = H / B♭ = B

1) Erste Übungen für die rechte Hand

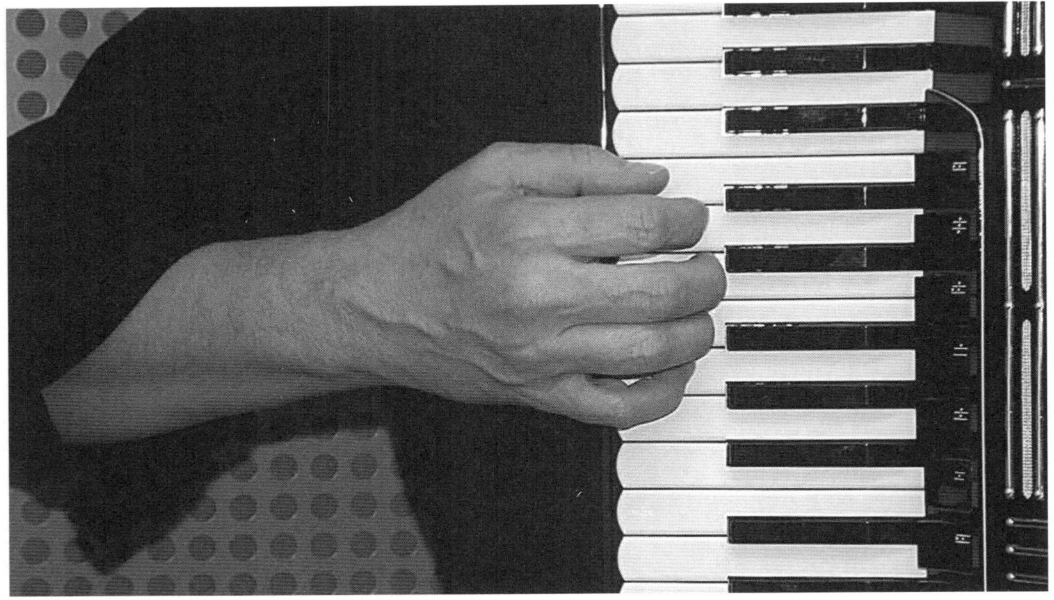

① Alle fünf Finger auf die Tasten legen, *diese aber nicht herunterdrücken,* ohne Balg, dann den ersten Finger (Daumen) *langsam* heben und wieder senken. Langsam anfangen und schneller werden. Dabei darauf achten, dass die Finger gerade und gleichmäßig mit der gleichen Krümmung möglichst hoch gehoben werden. Jetzt der zweite Finger usw. Zu vermeiden ist das Einknicken der Finger!

② Nun diese Übung noch einmal mit gedrückten Tasten und Balgbewegung ausführen.

③ Alle fünf Finger gleichzeitig herunterdrücken und halten. Dann im schneller werdenden Rhythmus loslassen und wieder spielen.

2) Erste Übungen für die linke Hand

(siehe auch Basstabelle zum Ausklappen S. 3)

① Alle vier Finger auf die Knöpfe legen, *diese aber nicht herunterdrücken,* ohne Balg, dann den zweiten Finger langsam heben und wieder senken. Langsam anfangen und schneller werden. Dabei darauf achten, dass die Finger gerade und gleichmäßig mit der gleichen Krümmung möglichst hoch gehoben werden. Jetzt der dritte Finger usw. Zu vermeiden ist das Einknicken der Finger!
Allg. Hinweis: Die Notation ignoriert den klingenden Basssprung zugunsten eines komfortablen Notenbildes.

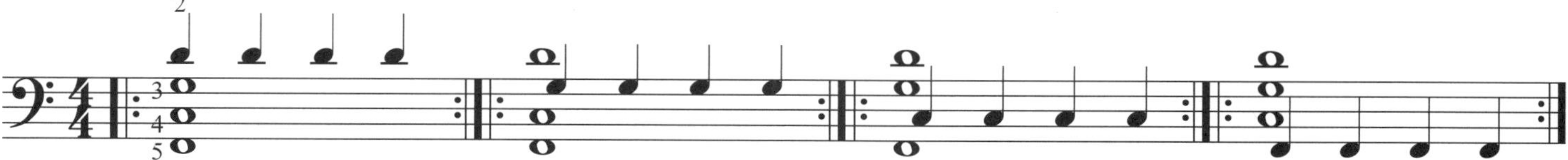

② Nun diese Übung noch einmal mit gedrückten Knöpfen und Balgbewegung ausführen.

③ Alle vier Finger gleichzeitig drücken und halten. Dann im schneller werdenden Rhythmus loslassen und wieder spielen.

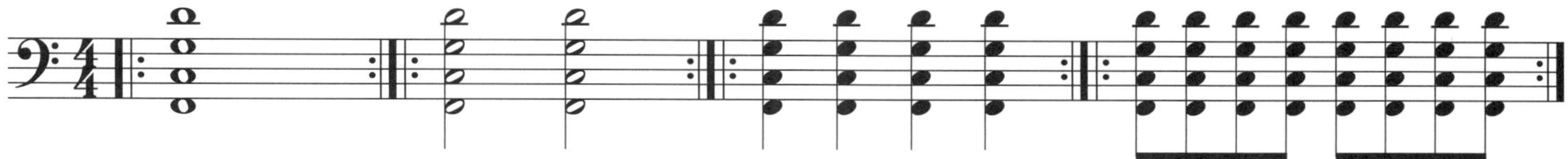

3) Fingerübung I für die rechte Hand

Fünftonraum

Diese Übungen sind langsam bis schnell und mit unterschiedlichen Artikulationen zu spielen. Die ganze Übung sollte zuerst *legato* gespielt werden (① gebunden), dann *non legato* (② nicht gebunden), *staccato* (③ kurz) und *leggiero* (nicht kurz, nicht gebunden, dafür leicht; vor allem in schnelleren Tempi gebräuchlich; langsames non legato wird im schnellen Tempo zum leggiero), aber auch *gemischt* (④ und ⑤).

Beispiele für verschiedene Artikulationsarten:

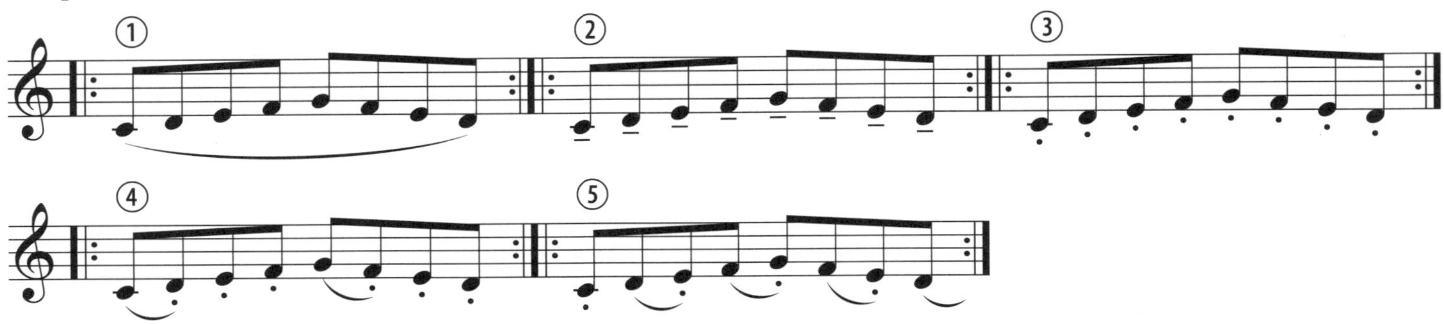

Beispiele für Fünftonraum-Übungen mit Bassbegleitung:

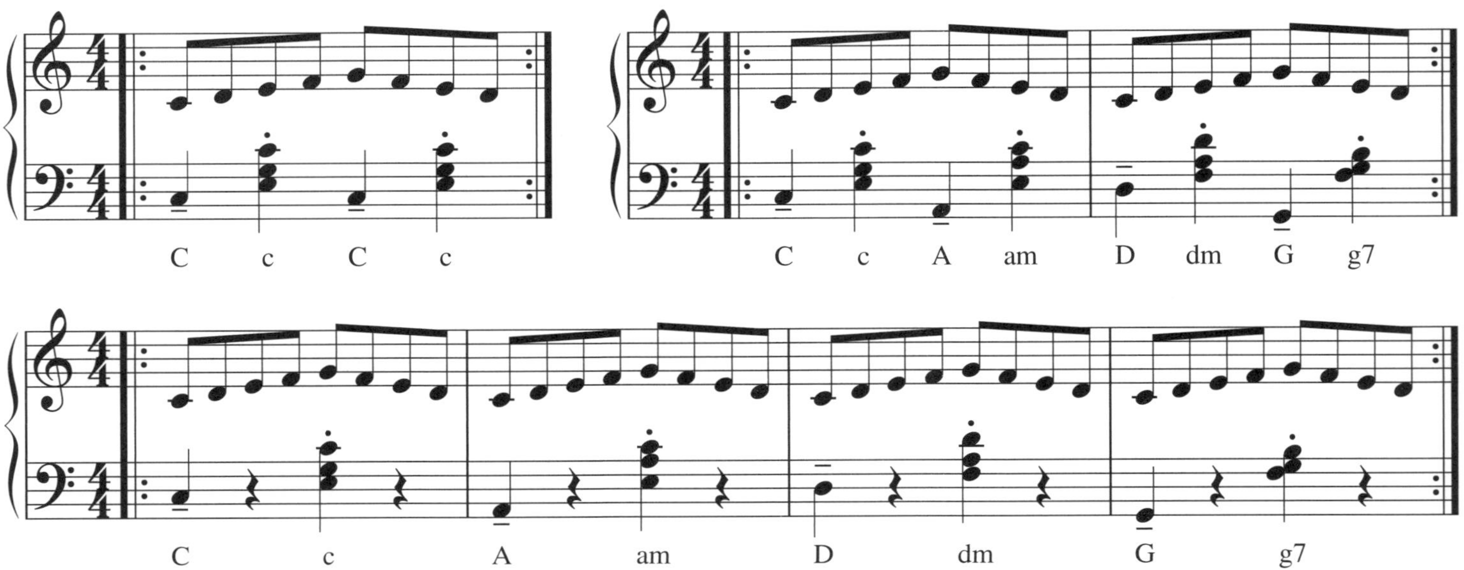

4) Fingerübung II für die linke Hand

VIDEO
04

Vier Töne

Die linke Hand wird beim Akkordeon häufig vernachlässigt und oft nur zur „Begleitung“ eingesetzt. Aber auch im Standardbass können Melodien gespielt werden! Die Übungen sind wie in der rechten Hand (vgl. S. 10) langsam bis schnell und mit verschiedenen Artikulationen zu spielen: legato – non legato – staccato

Hier einige Beispiele in anderen Lagen: Wir spielen zwar andere Töne, aber sowohl Übung als auch Fingersatz bleiben gleich.

2 3 4 5

G C F B♭

B♭ E♭ A♭ D♭

F B♭ E♭ A♭

E A D G

F♯ B E A

E♭ A♭ D♭ G♭

5) Fingerübung III für die rechte Hand

VIDEO
05

Spreizungen und gebrochene Akkorde

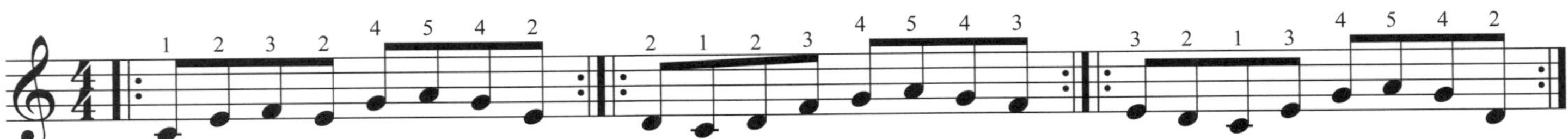

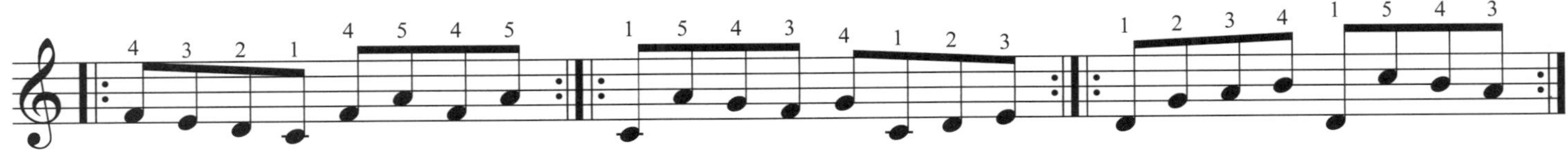

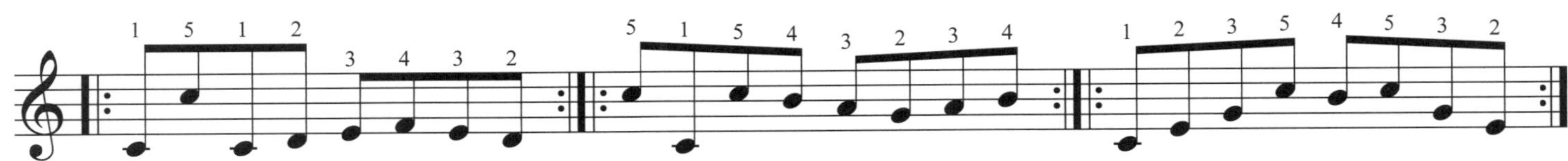

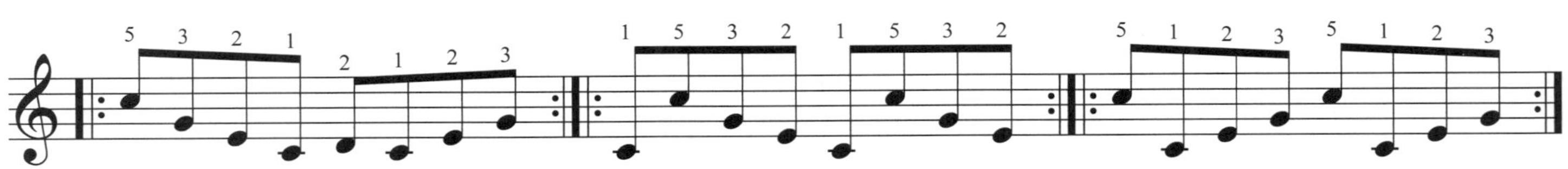

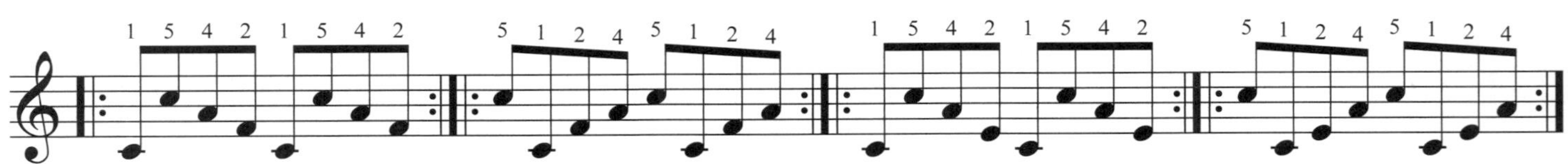

Spreizungen und gebrochene Akkorde mit Bassbegleitung

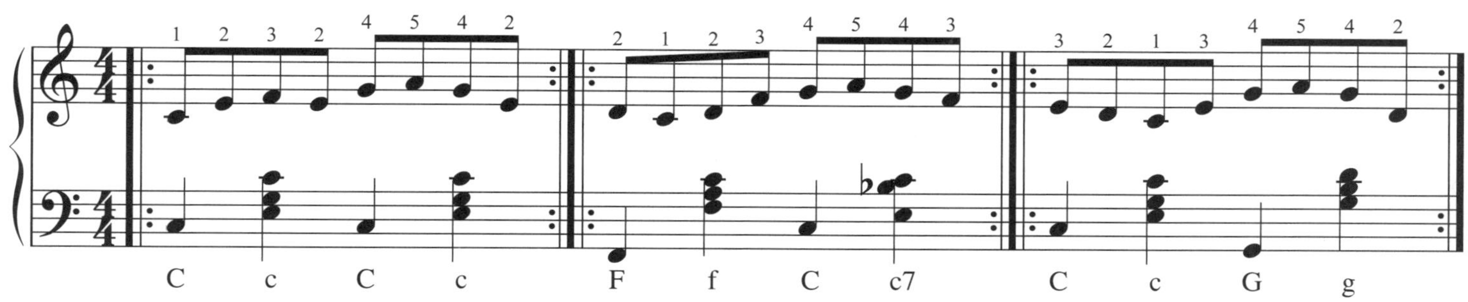

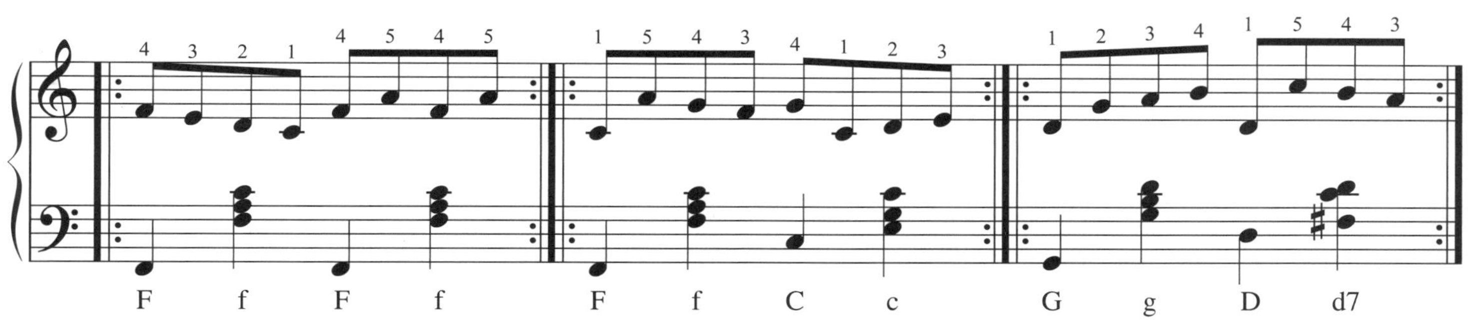

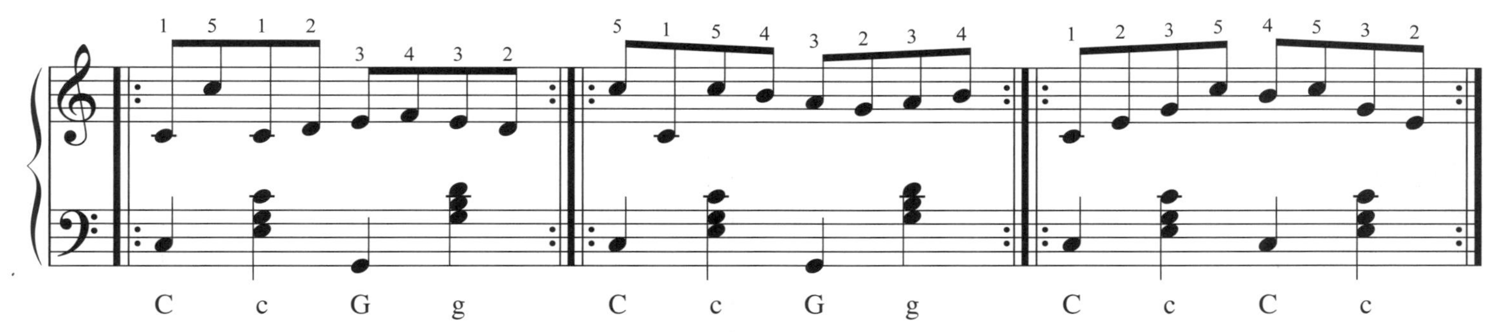

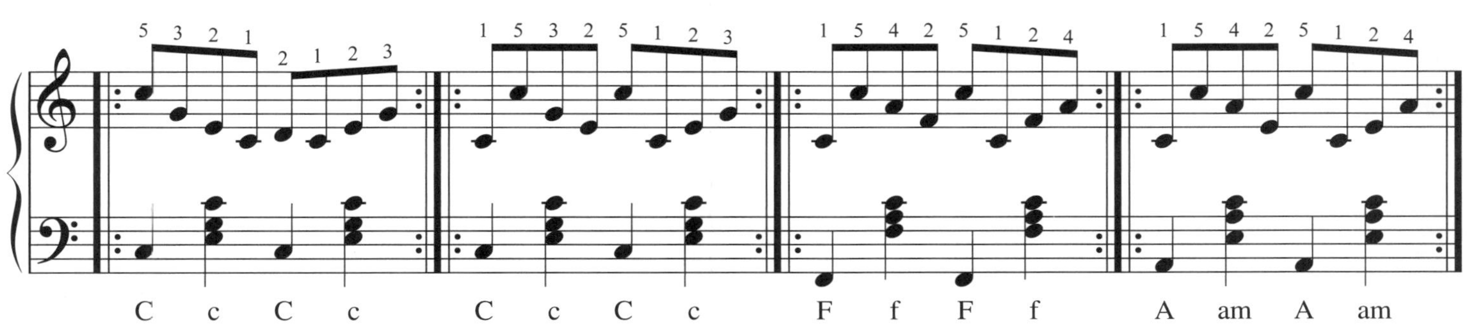

6) Fingerübung IV für die linke Hand

VIDEO
06

Terzbässe

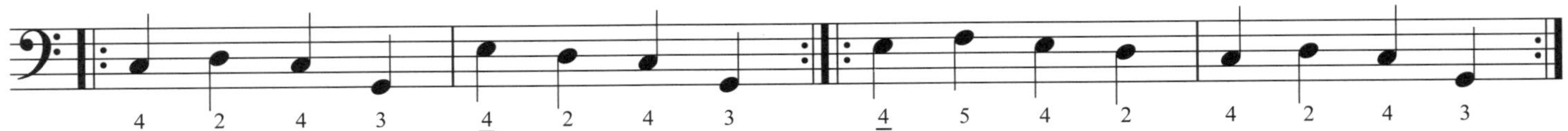

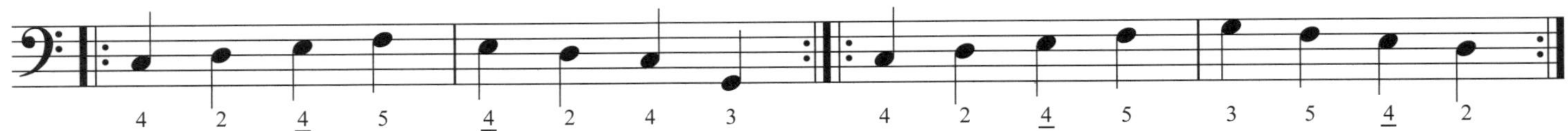

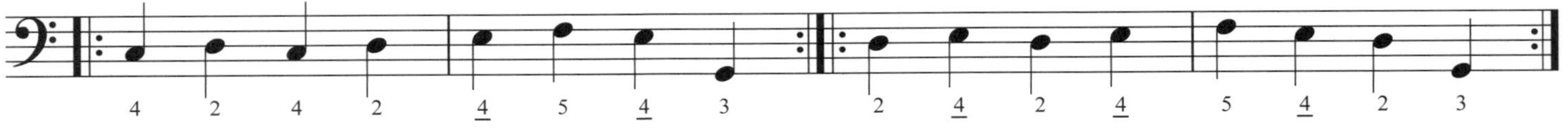

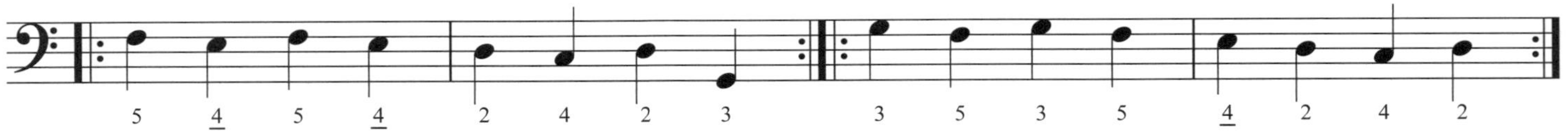

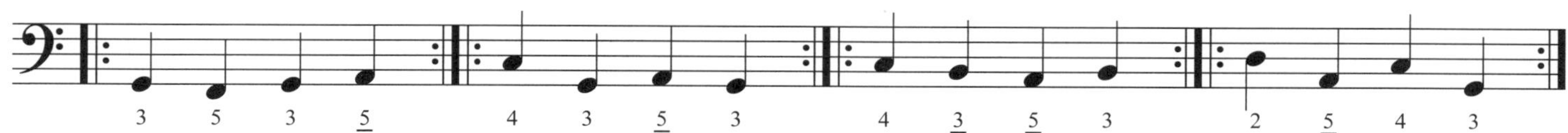
3 5 3 5 4 3 5 3 4 3 5 3 2 5 4 3

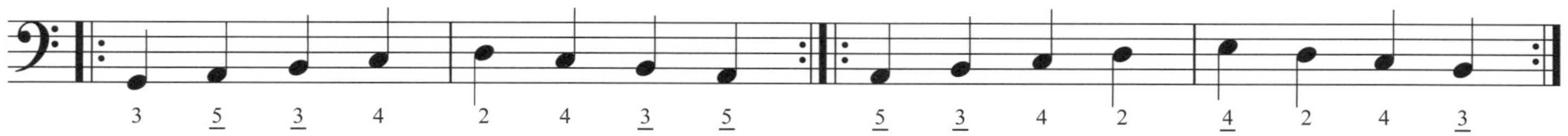
3 5 3 4 2 4 3 5 5 3 4 2 4 2 4 3

3 4 2 4 5 4 2 4 4 2 4 5 3 5 4 2

2 4 5 3 5 3 5 4 4 5 3 5 3 5 3 5

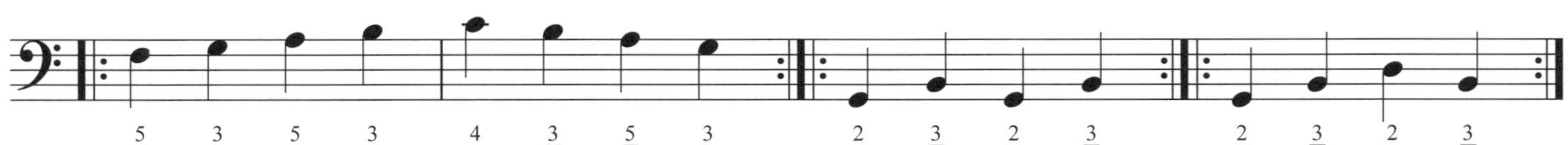
5 3 5 3 4 3 5 3 2 3 2 3 2 3 2 3

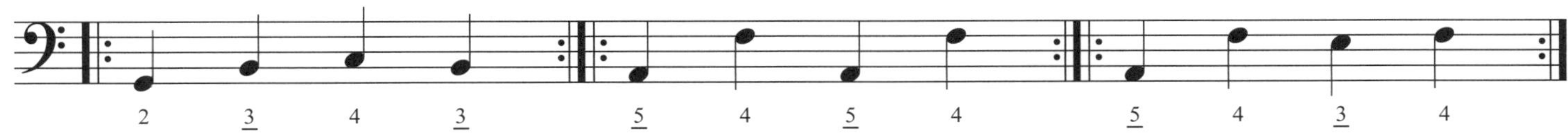
2 3 4 3 5 4 5 4 5 4 3 4

7) Die Dur-Tonleiter

Bei nachfolgenden Vorübungen geht es um einen flüssigen, mühelosen Unter- bzw. Übersatz des jeweiligen Fingers. Auch diese Übungen immer zuerst legato, dann mit anderen Artikulationsarten wie non legato, staccato und leggiero spielen.

Vorübung

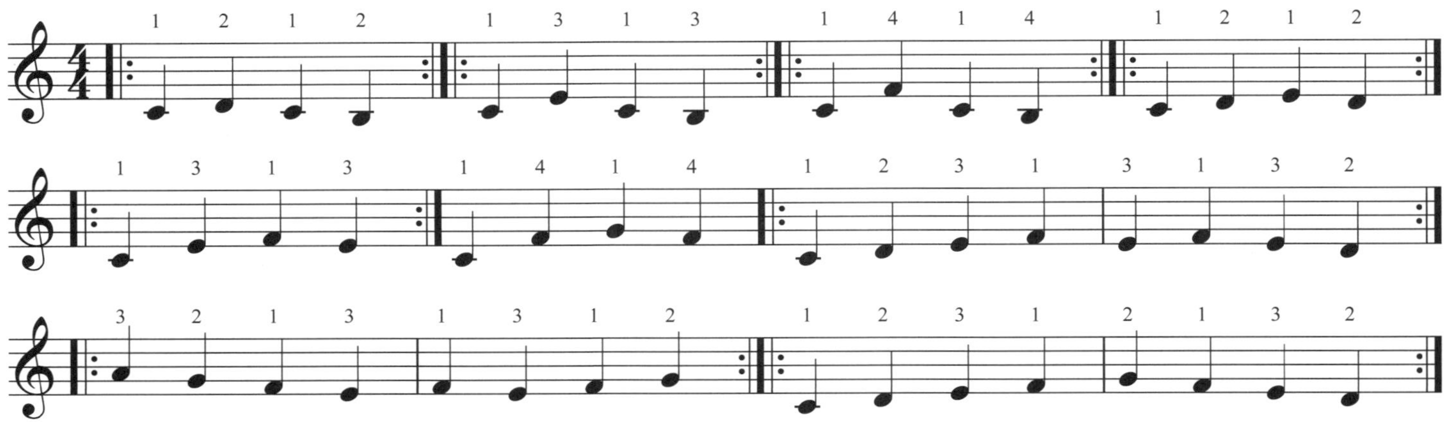

Alle Übungen sollten, wenn sie flüssig und fehlerfrei gehen, mit Patterns der linken Hand begleitet werden (siehe Ausklappseite 3).

Die C-Dur-Tonleiter über eine Oktave

Hier die einfachste Art, die C-Dur-Tonleiter auf und ab zu spielen:

Hierzu verschiedene Varianten:

Die C-Dur-Tonleiter über zwei Oktaven in drei Varianten

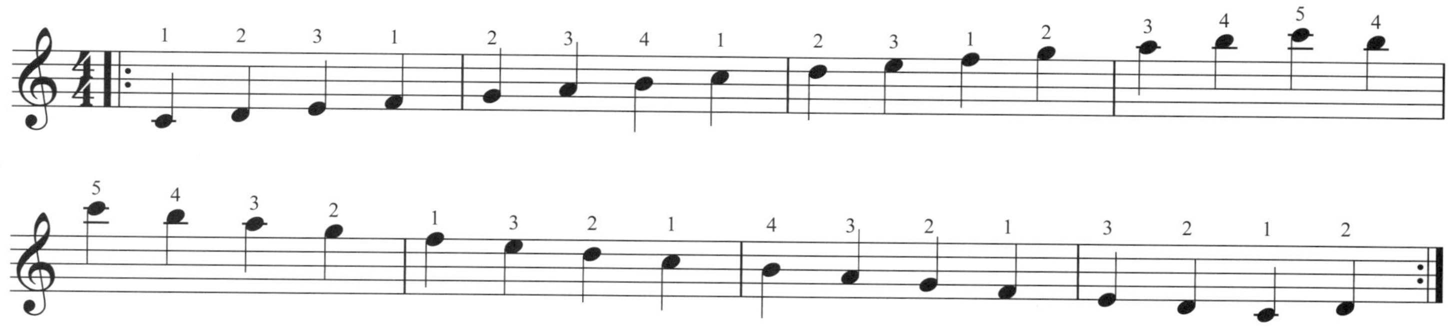

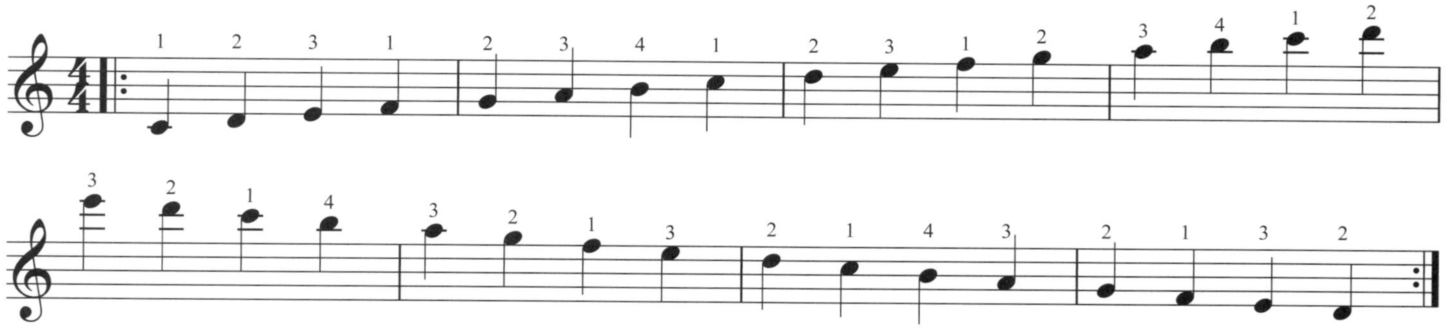

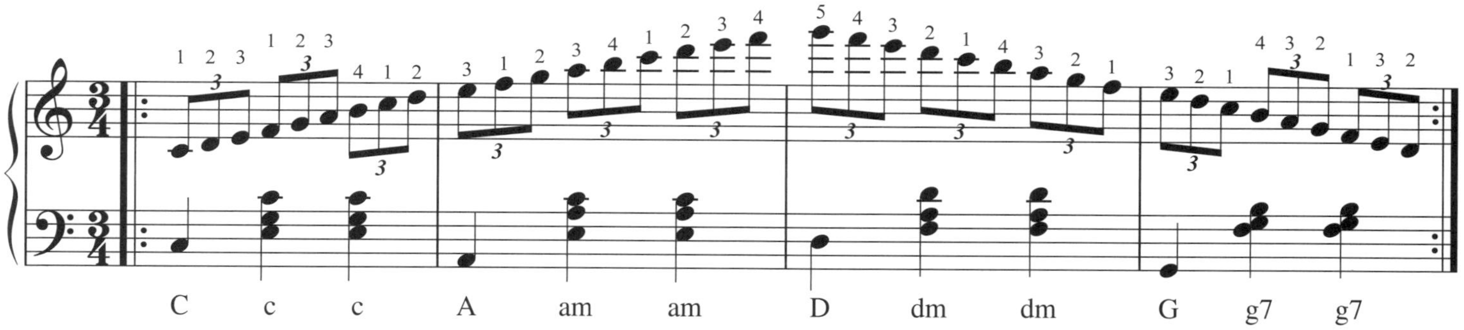

C c c A am am D dm dm G g7 g7

Des Weiteren sollten die Tonleitern auch verschieden rhythmisiert werden, z. B.:

Die Dur-Tonleitern im Quintenzirkel mit Bassbegleitung

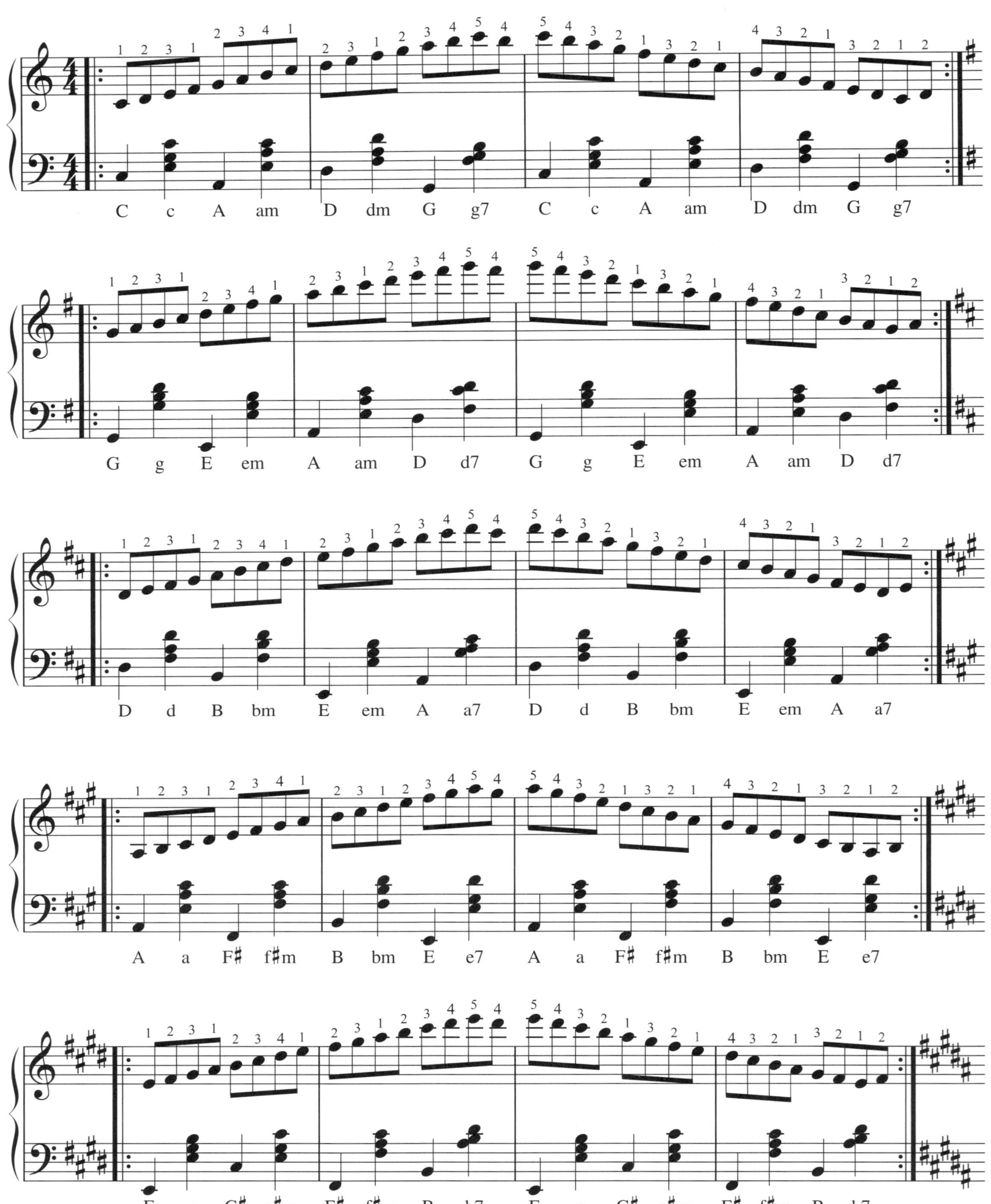

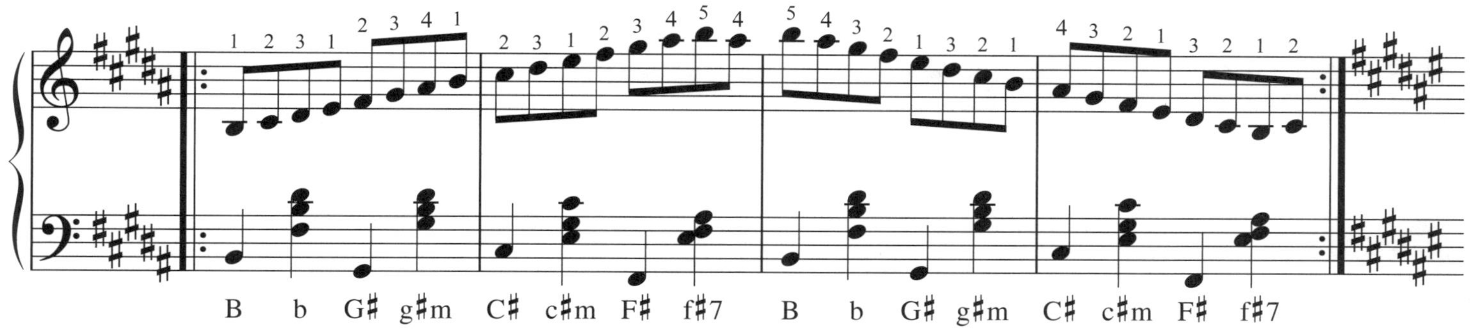
1 2 3 1 2 3 4 1 2 3 1 2 3 4 5 4 5 4 3 2 1 3 2 1 4 3 2 1 3 2 1 2
B b G♯ g♯m C♯ c♯m F♯ f♯7 B b G♯ g♯m C♯ c♯m F♯ f♯7

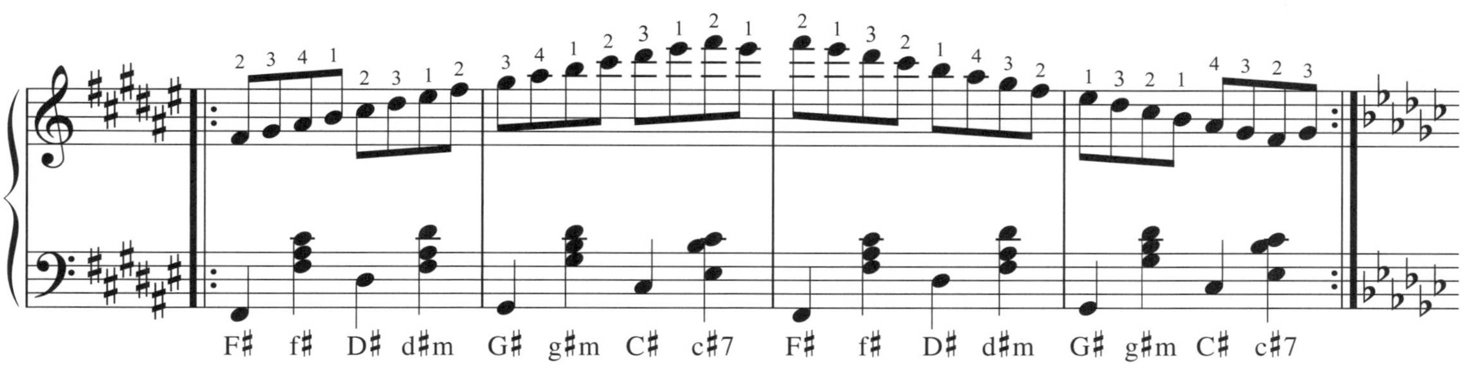
2 3 4 1 2 3 1 2 3 4 1 2 3 1 2 1 2 1 3 2 1 4 3 2 1 3 2 1 4 3 2 3
F♯ f♯ D♯ d♯m G♯ g♯m C♯ c♯7 F♯ f♯ D♯ d♯m G♯ g♯m C♯ c♯7

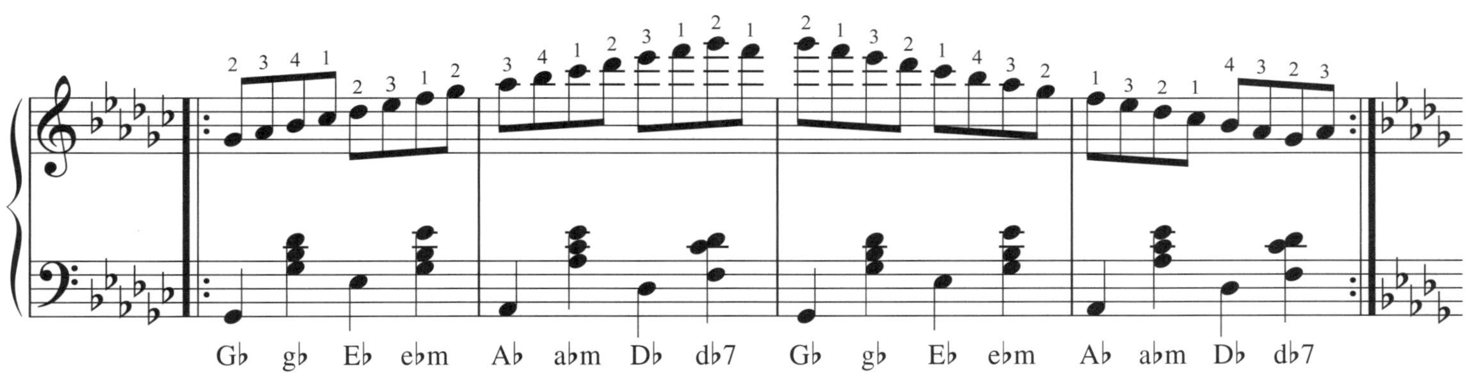
2 3 4 1 2 3 1 2 3 4 1 2 3 1 2 1 2 1 3 2 1 4 3 2 1 3 2 1 4 3 2 3
G♭ g♭ E♭ e♭m A♭ a♭m D♭ d♭7 G♭ g♭ E♭ e♭m A♭ a♭m D♭ d♭7

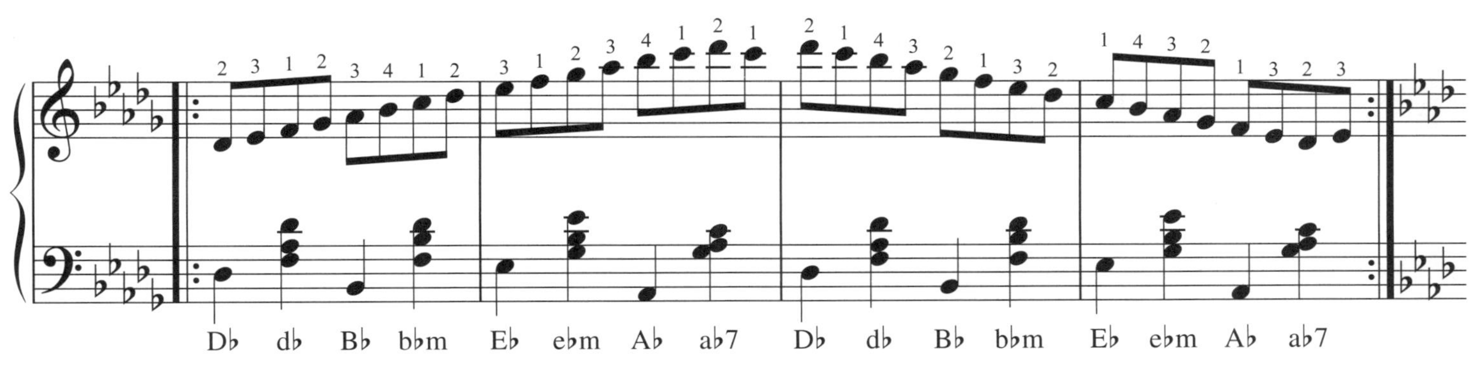
2 3 1 2 3 4 1 2 3 1 2 3 4 1 2 1 2 1 4 3 2 1 3 2 1 4 3 2 1 3 2 3
D♭ d♭ B♭ b♭m E♭ e♭m A♭ a♭7 D♭ d♭ B♭ b♭m E♭ e♭m A♭ a♭7

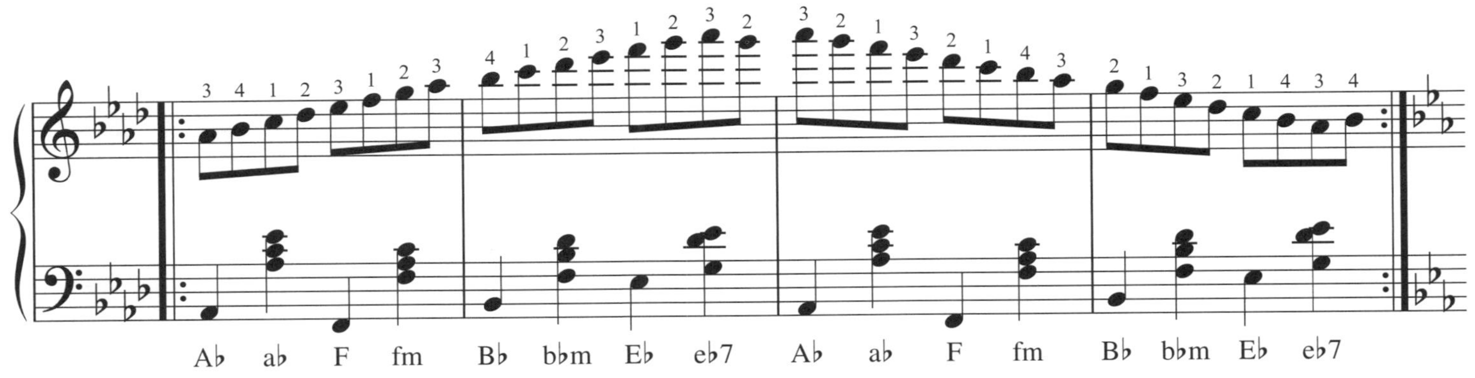
3 4 1 2 3 1 2 3 4 1 2 3 1 2 3 2 3 2 1 3 2 1 4 3 2 1 3 2 1 4 3 4
A♭ a♭ F fm B♭ b♭m E♭ e♭7 A♭ a♭ F fm B♭ b♭m E♭ e♭7

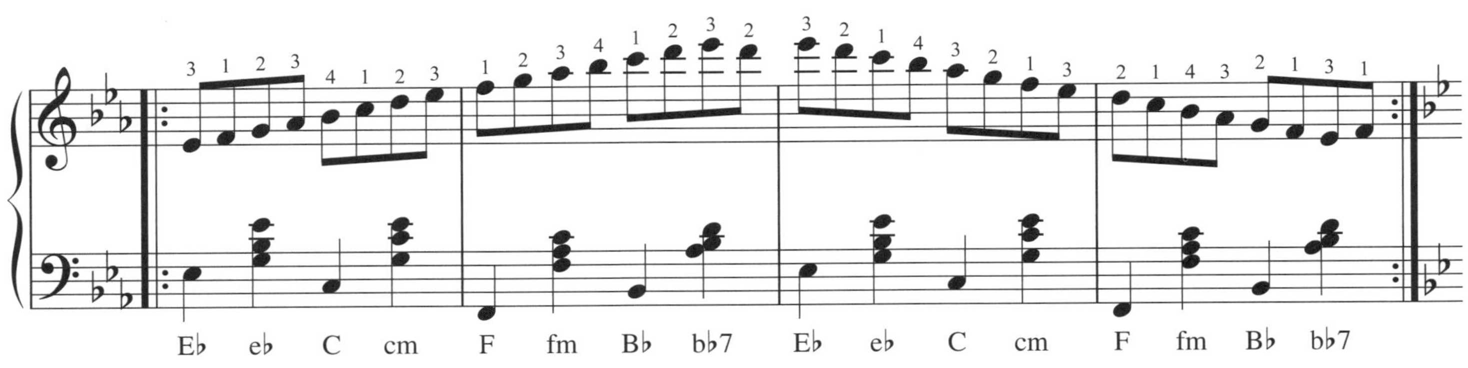
3 1 2 3 4 1 2 3 1 2 3 4 1 2 3 2 3 2 1 4 3 2 1 3 2 1 4 3 2 1 3 1
E♭ e♭ C cm F fm B♭ b♭7 E♭ e♭ C cm F fm B♭ b♭7

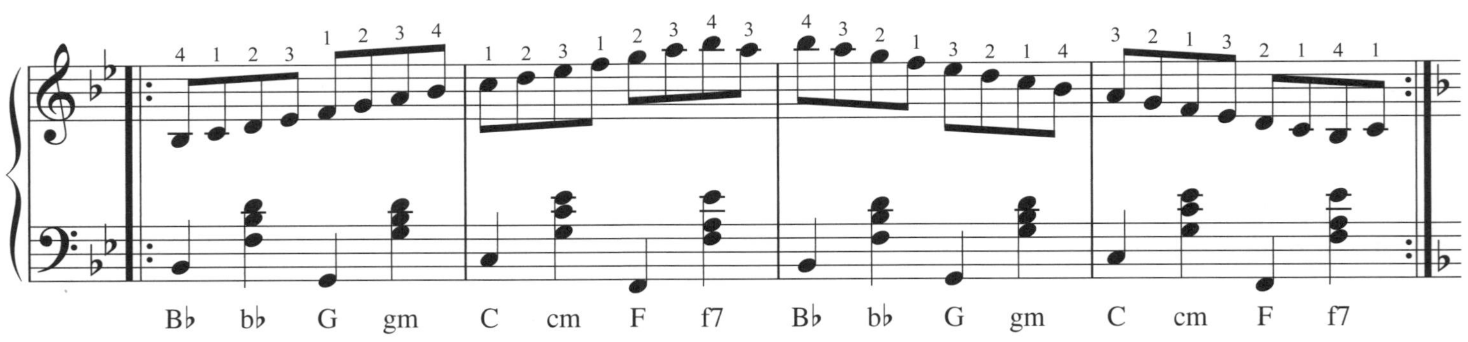
4 1 2 3 1 2 3 4 1 2 3 1 2 3 4 3 4 3 2 1 3 2 1 4 3 2 1 3 2 1 4 1
B♭ b♭ G gm C cm F f7 B♭ b♭ G gm C cm F f7

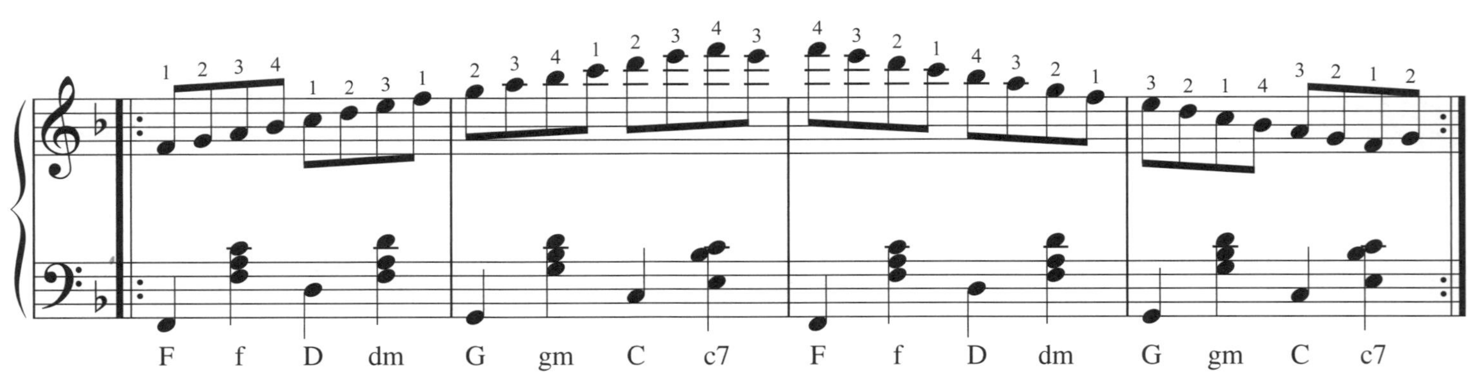
1 2 3 4 1 2 3 1 2 3 4 1 2 3 4 3 4 3 2 1 4 3 2 1 3 2 1 4 3 2 1 2
F f D dm G gm C c7 F f D dm G gm C c7

8) Die harmonische Moll-Tonleiter

VIDEO
08

Hier sind im *Quartenzirkel* alle harmonischen Moll-Tonleitern mit wechselnden Basspatterns abgebildet. Auch diese Übungen langsam anfangen, immer schneller werden und mit unterschiedlichen Artikulationen spielen.

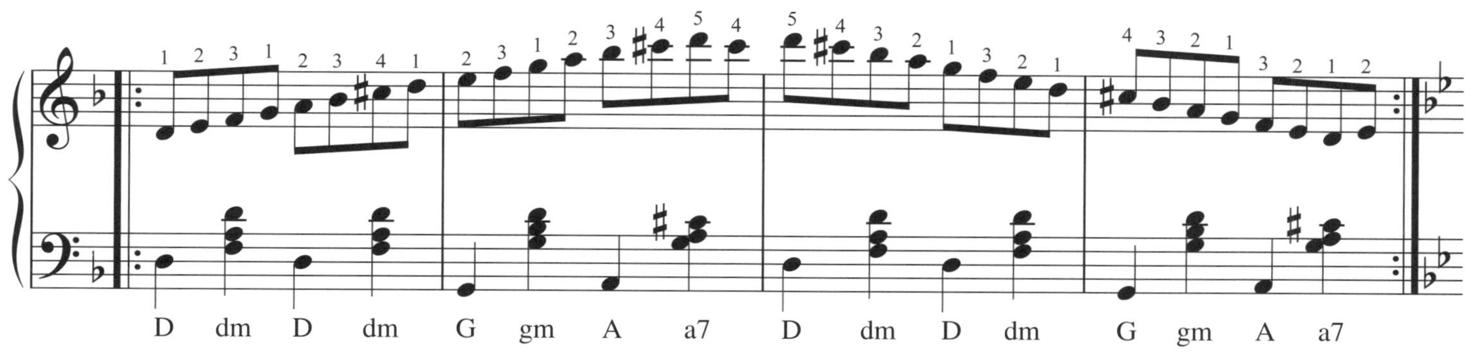

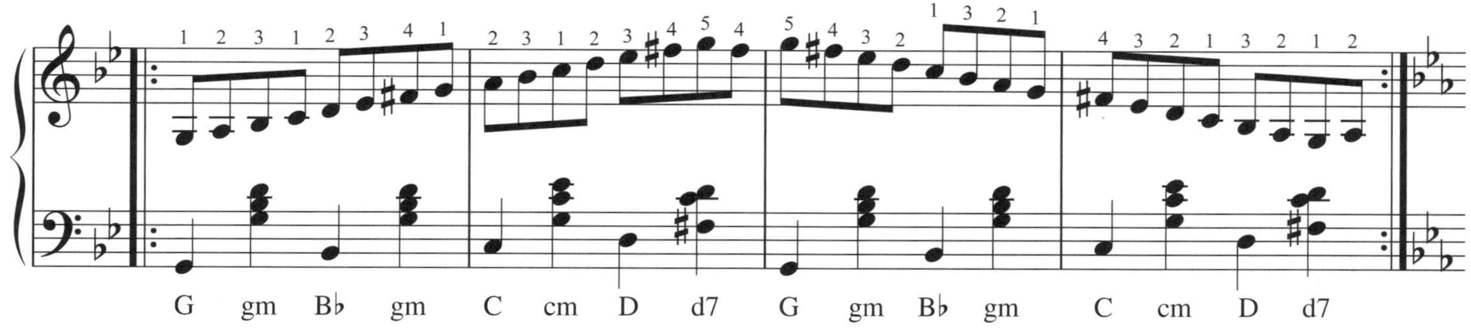

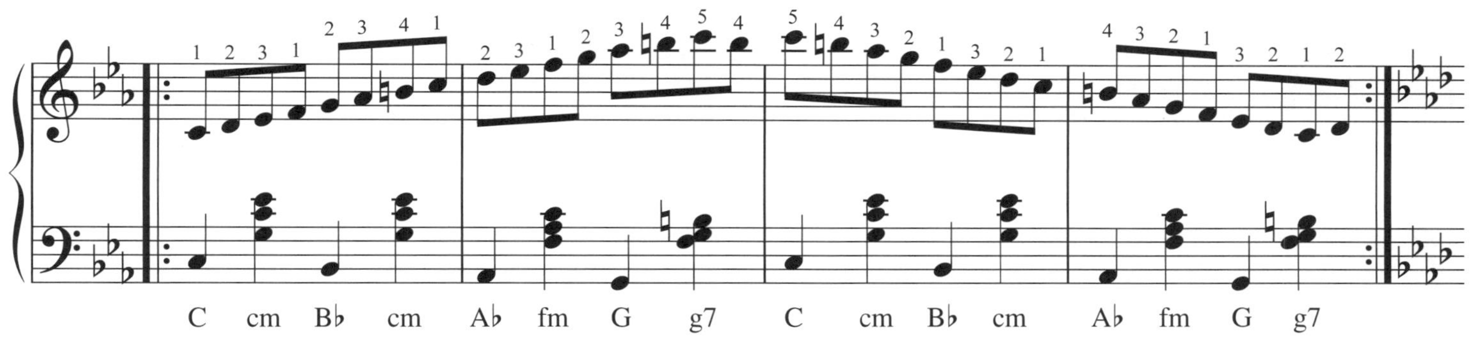

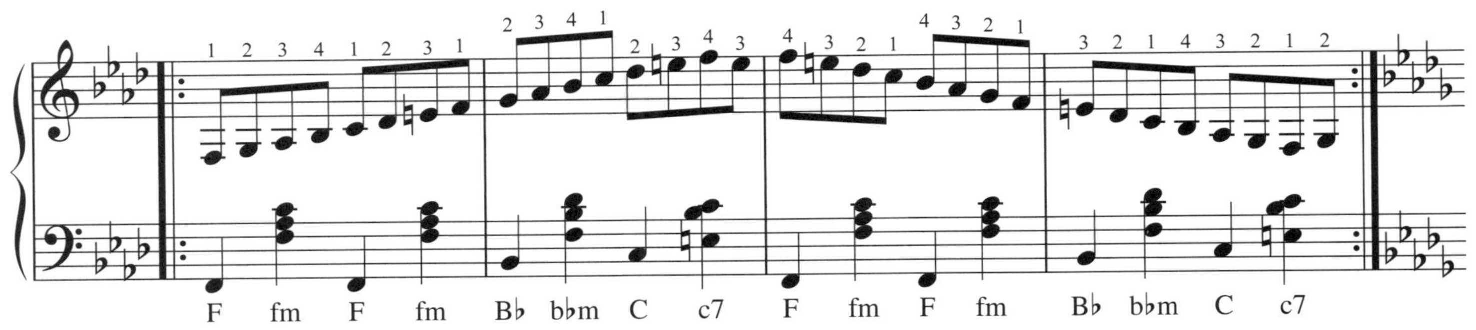
F fm F fm B♭ b♭m C c7 F fm F fm B♭ b♭m C c7

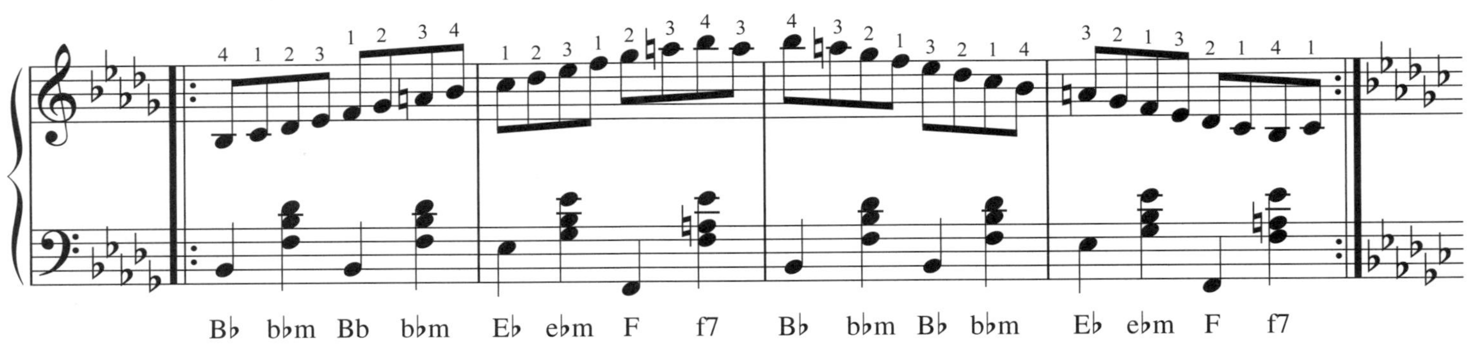
B♭ b♭m Bb b♭m E♭ e♭m F f7 B♭ b♭m B♭ b♭m E♭ e♭m F f7

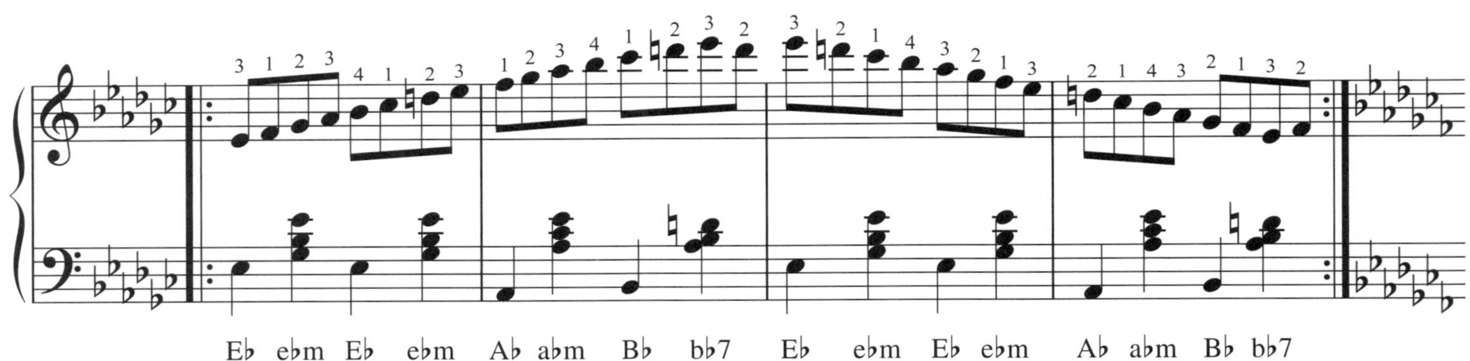
E♭ e♭m E♭ e♭m A♭ a♭m B♭ b♭7 E♭ e♭m E♭ e♭m A♭ a♭m B♭ b♭7

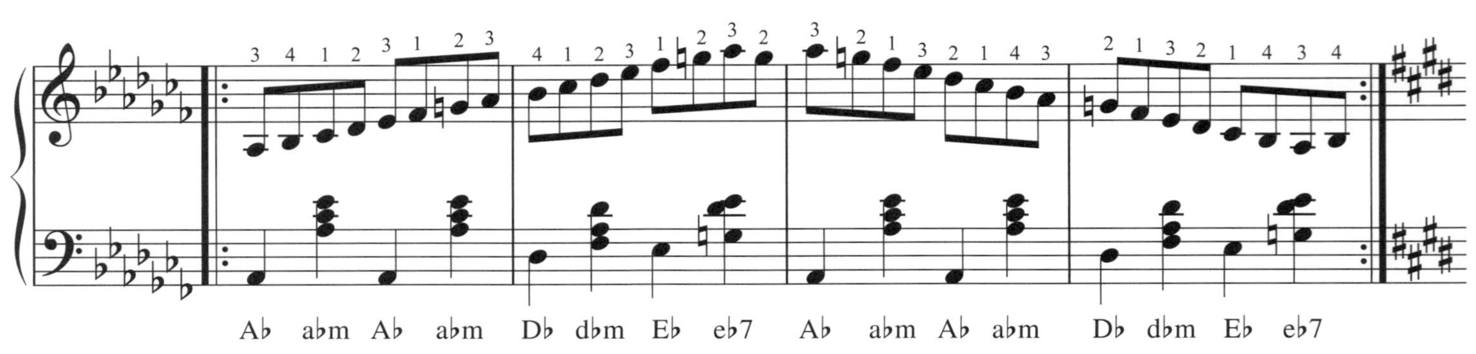
A♭ a♭m A♭ a♭m D♭ d♭m E♭ e♭7 A♭ a♭m A♭ a♭m D♭ d♭m E♭ e♭7

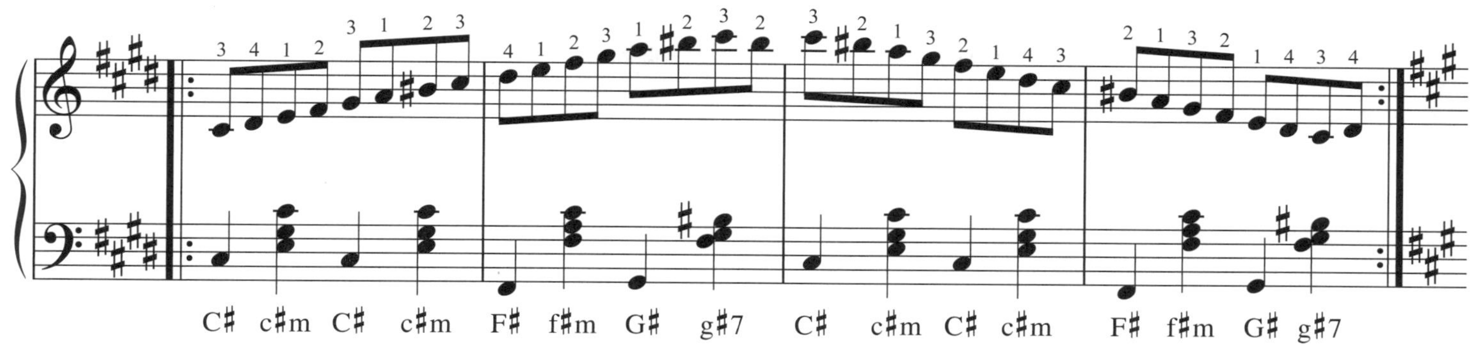
C♯ c♯m C♯ c♯m F♯ f♯m G♯ g♯7 C♯ c♯m C♯ c♯m F♯ f♯m G♯ g♯7

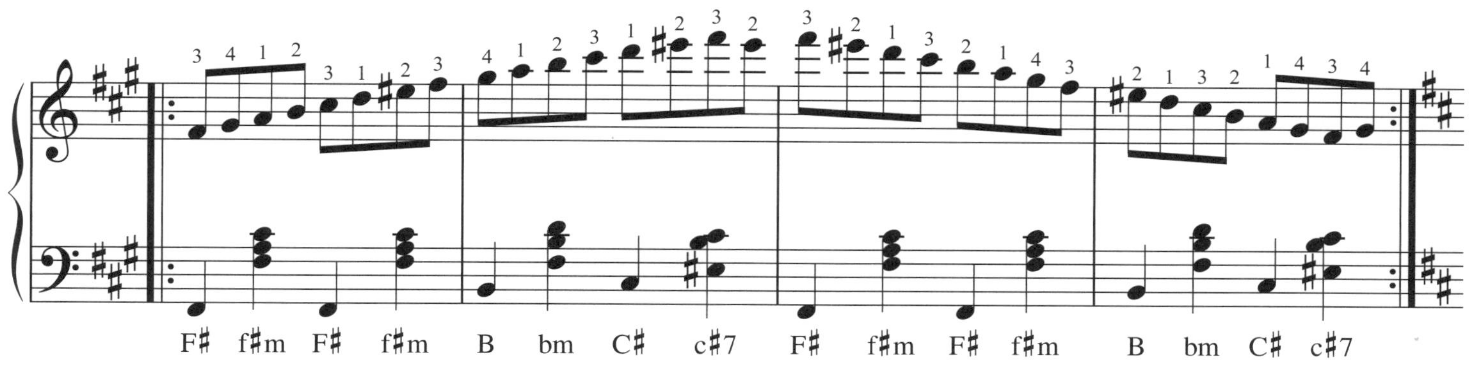
F♯ f♯m F♯ f♯m B bm C♯ c♯7 F♯ f♯m F♯ f♯m B bm C♯ c♯7

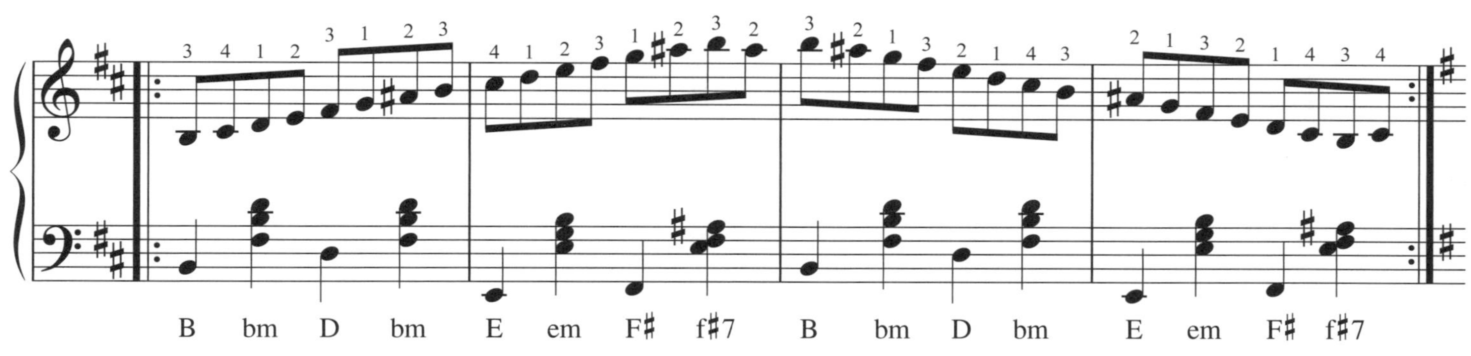
B bm D bm E em F♯ f♯7 B bm D bm E em F♯ f♯7

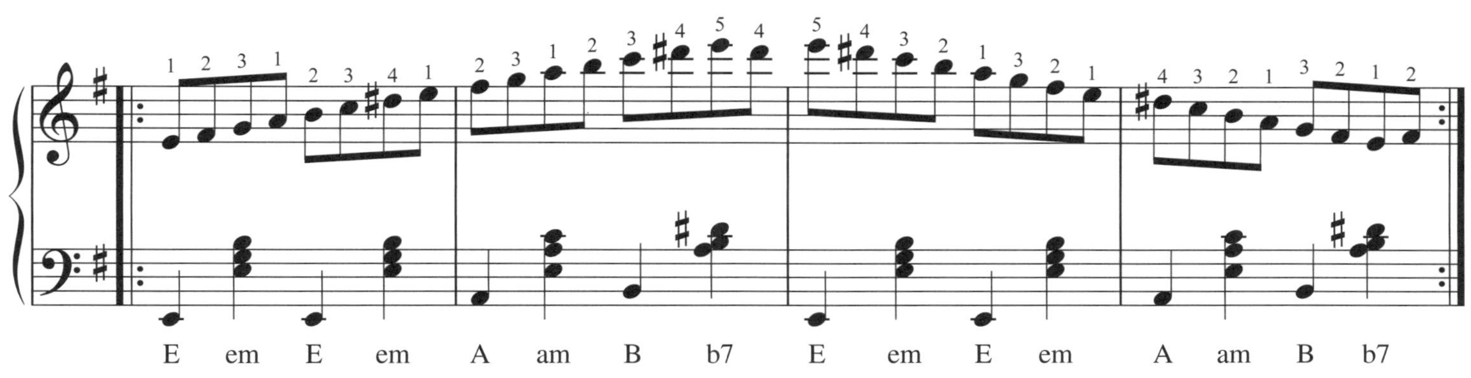
E em E em A am B b7 E em E em A am B b7

9) Fesselfinger

10) Fingerübung V für die rechte Hand

VIDEO
10

Fünftonraum

Spreizungen

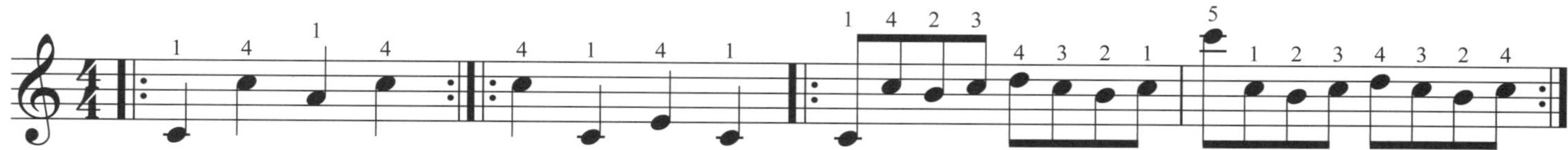

Gebrochene Akkorde

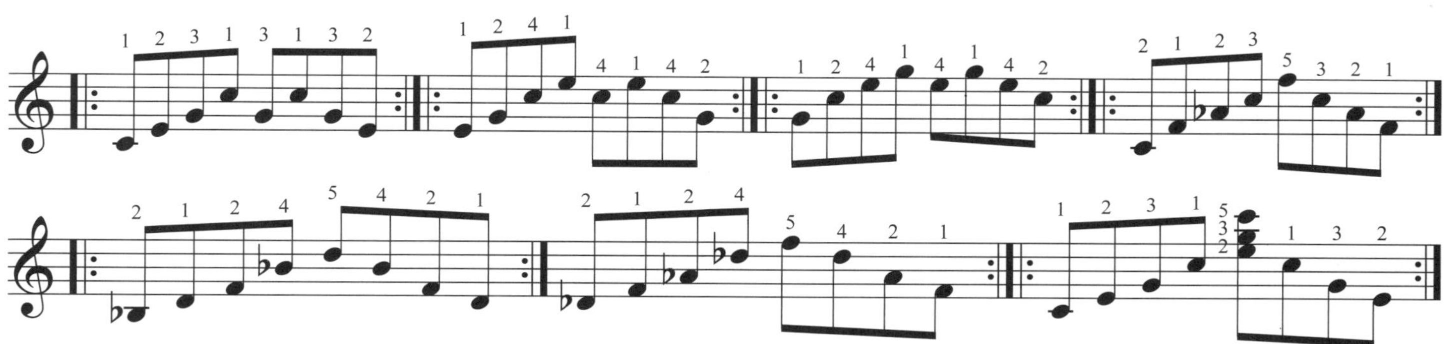

Repetitionen

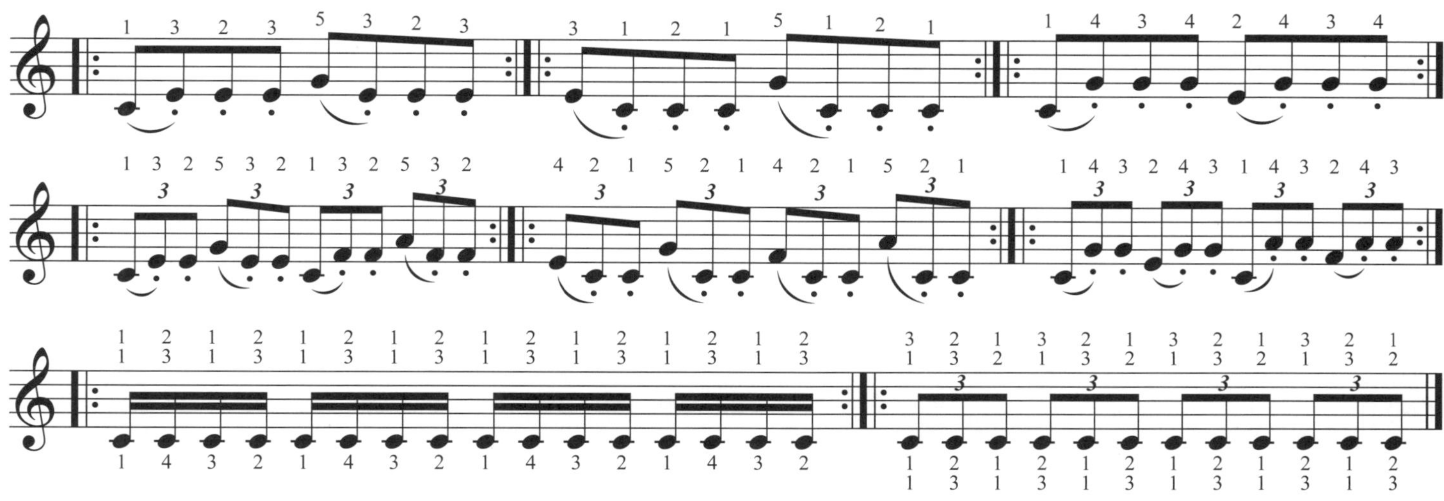

11) Intervalle

Terzen

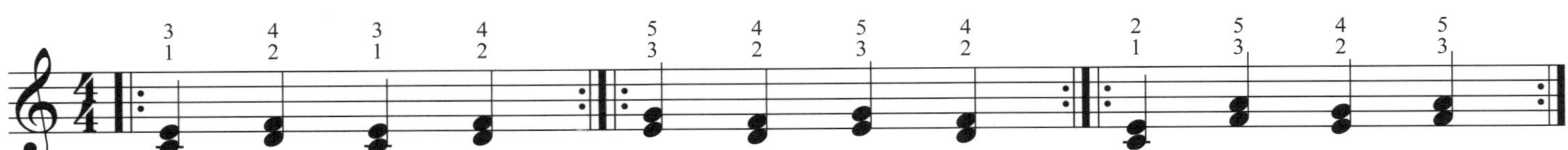

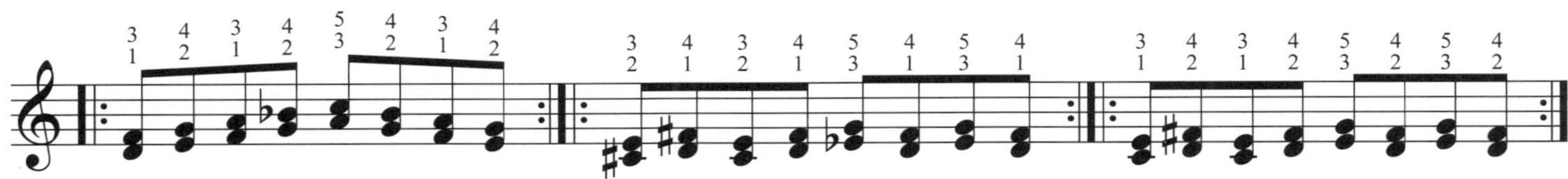

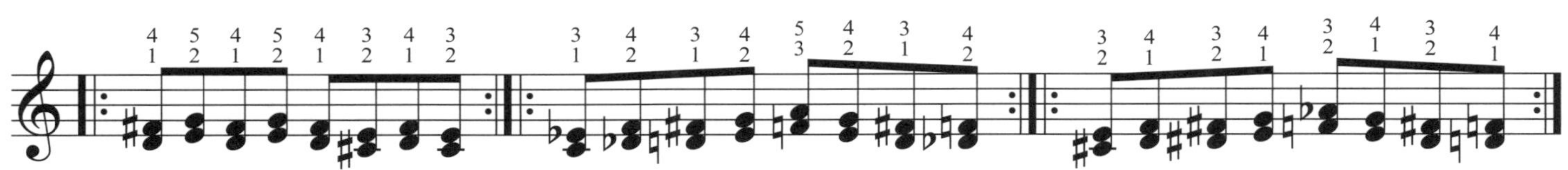

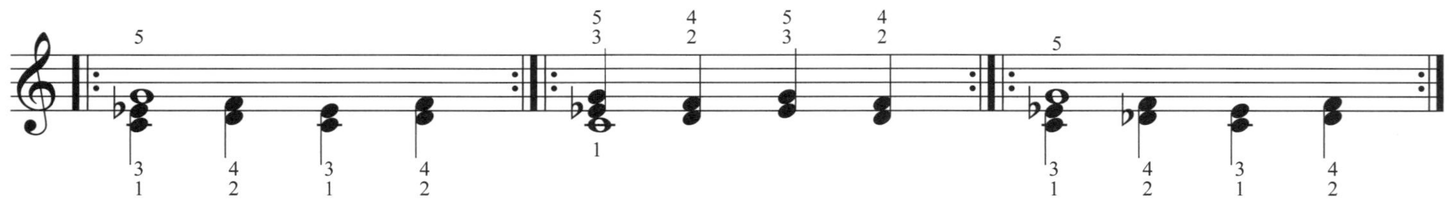

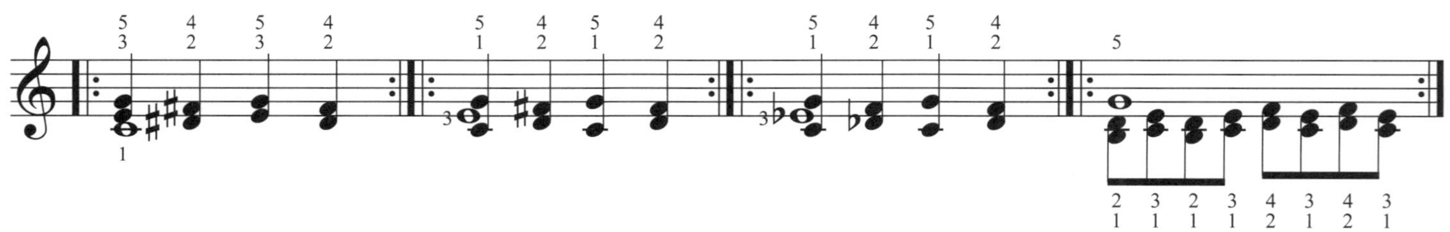

Diverse Intervalle

12) Die Dur-Tonleiter im Bass

Auch diese Übungen sollten zuerst legato und dann mit verschiedenen Artikulationen gespielt werden.

Vorübung

Die Dur-Tonleiter in drei Varianten

Als Beispiele folgen nur C- und G-Dur, da der Fingersatz in allen Tonarten gleich ist (vorausgesetzt man beginnt in der Grundreihe). Die Tonleiter sollte in jeder Tonart von allen Grundbässen aus gespielt werden. *Anmerkung: Diese Notation ignoriert den klingenden Oktavsprung zugunsten eines komfortableren Notenbildes (das Akkordeon hat im Bass nur den Tonumfang einer großen Septime).*

C-Dur:

G-Dur:

Bass + Diskant zusammen

Beherrscht man die Tonleiter mit der linken Hand, kann man mit der rechten Hand das Gleiche bzw. in Terzen oder anderen Intervallen dazu spielen.

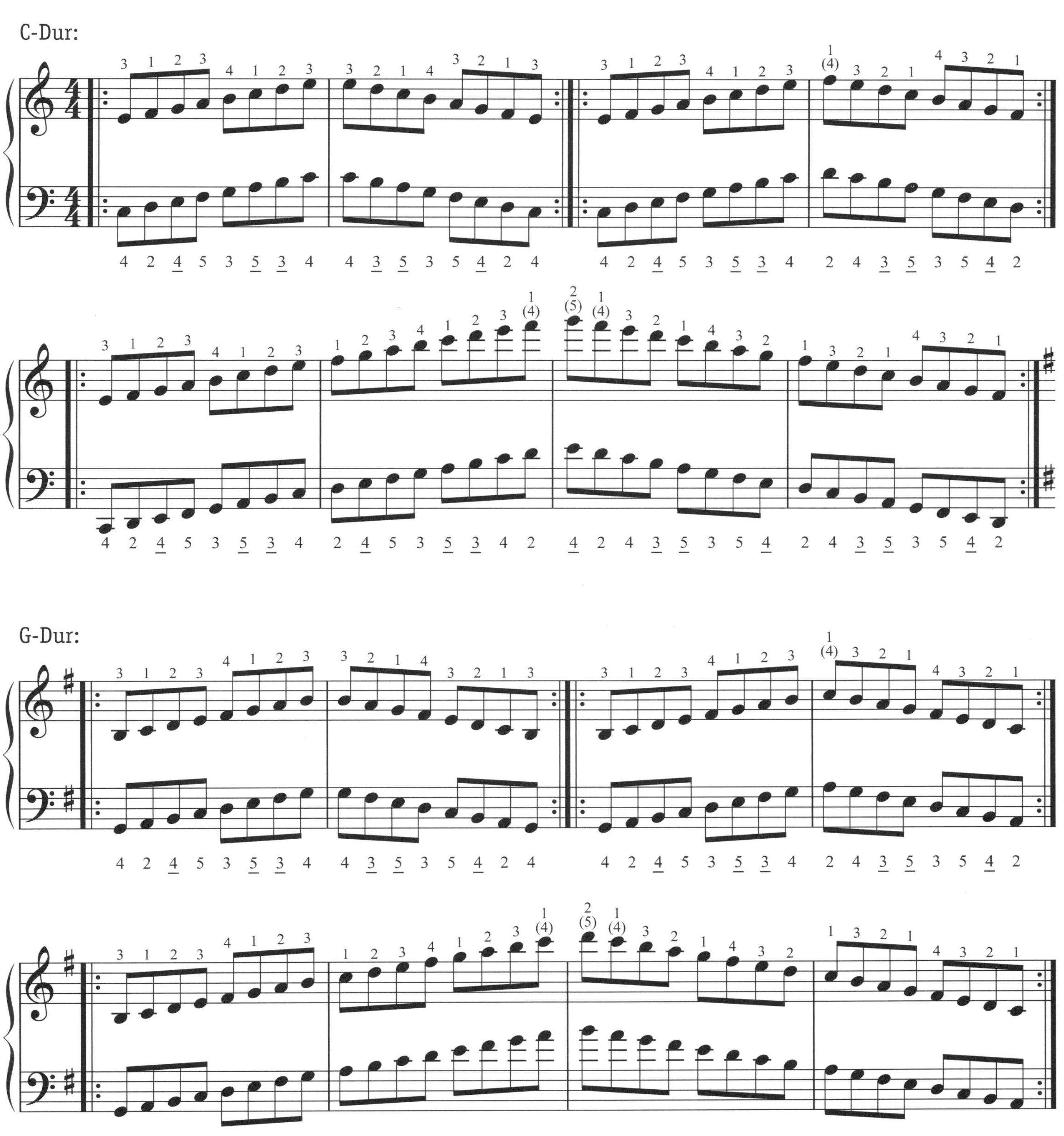

Spiele auch in allen anderen Dur-Tonarten (siehe S. 18 ff.).

13) Die Moll-Tonleiter im Bass

Vorübung

Die harmonische Moll-Tonleiter in drei Varianten

Als Beispiele folgen nur A- und E-Moll, da der Fingersatz in allen Tonarten gleich ist.

A-Moll:

E-Moll:

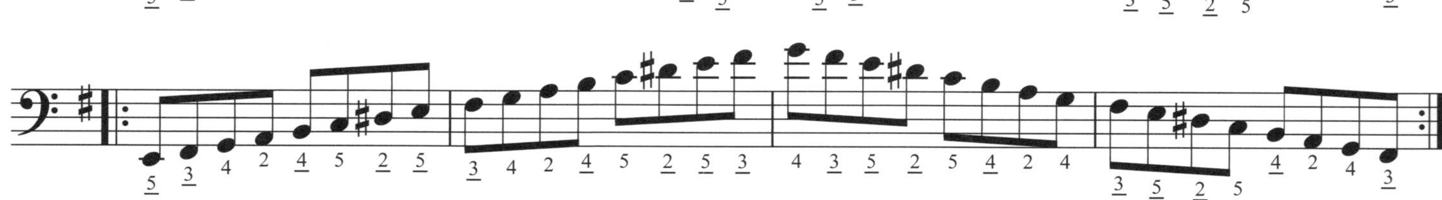

14) Chromatik im Bass

VIDEO
14

Vorübungen

Die chromatische Tonleiter im Bass

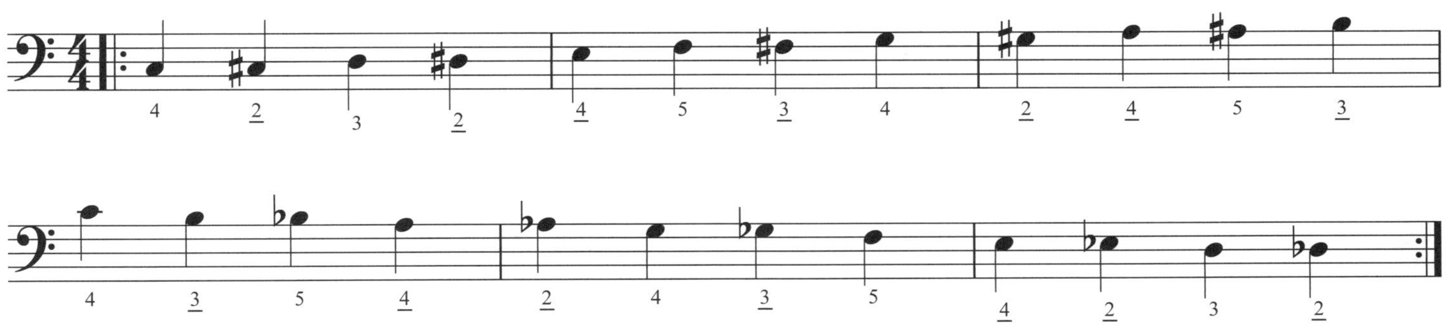

15) Gebrochene Akkorde

Diese Übung zeigt gebrochene Akkorde, die ebenfalls in anderen Tonarten zu spielen sind.

Dur-Septimakkorde:

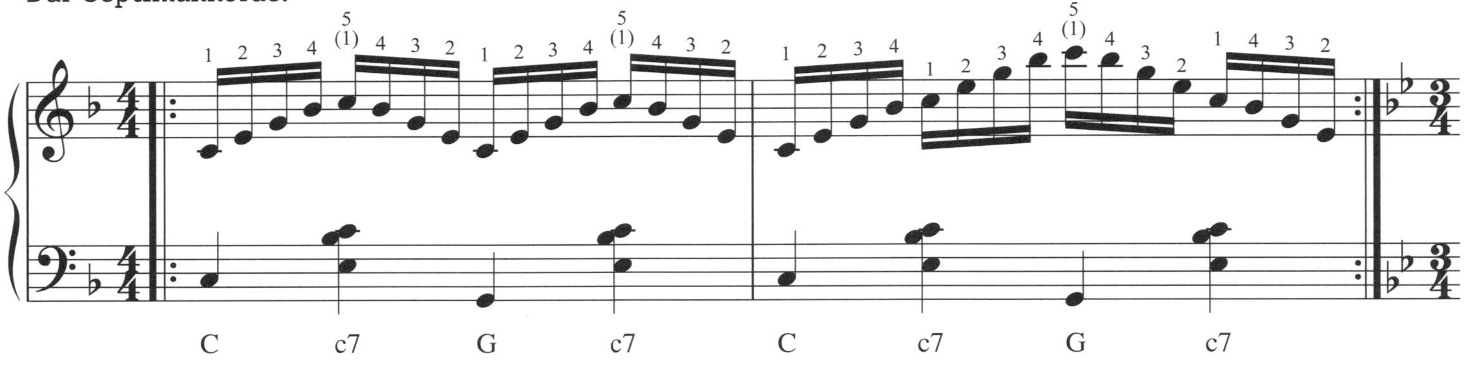

C c7 G c7 C c7 G c7

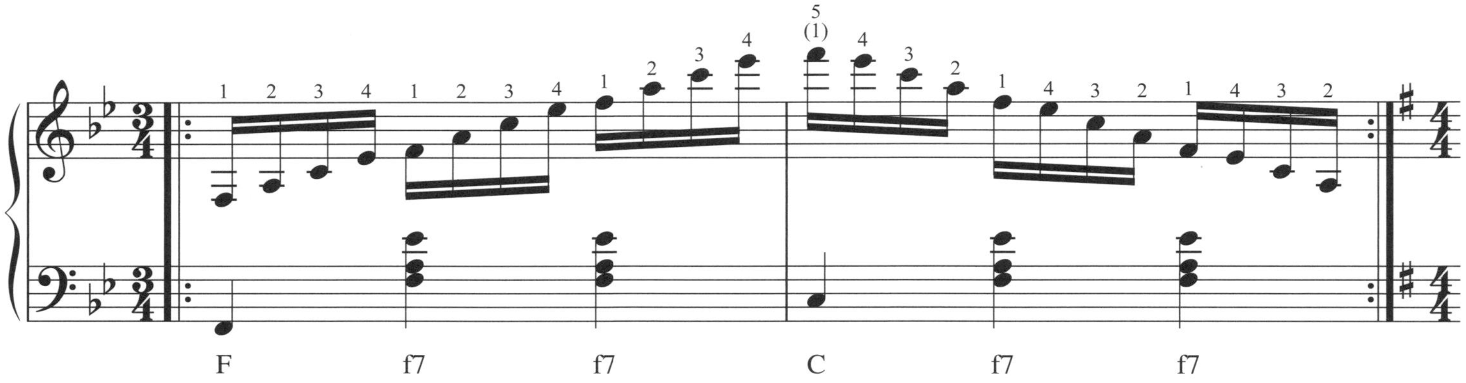

F f7 f7 C f7 f7

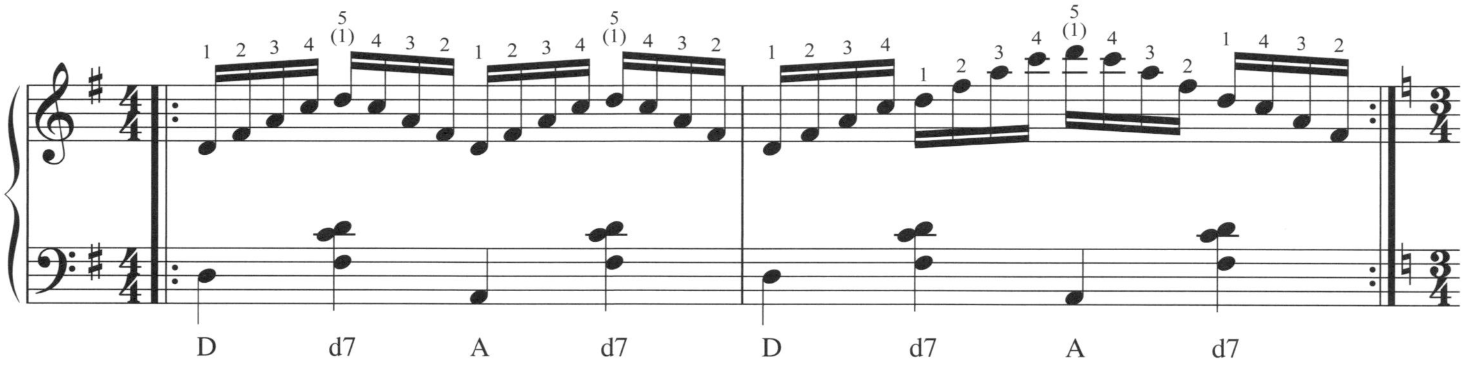

D d7 A d7 D d7 A d7

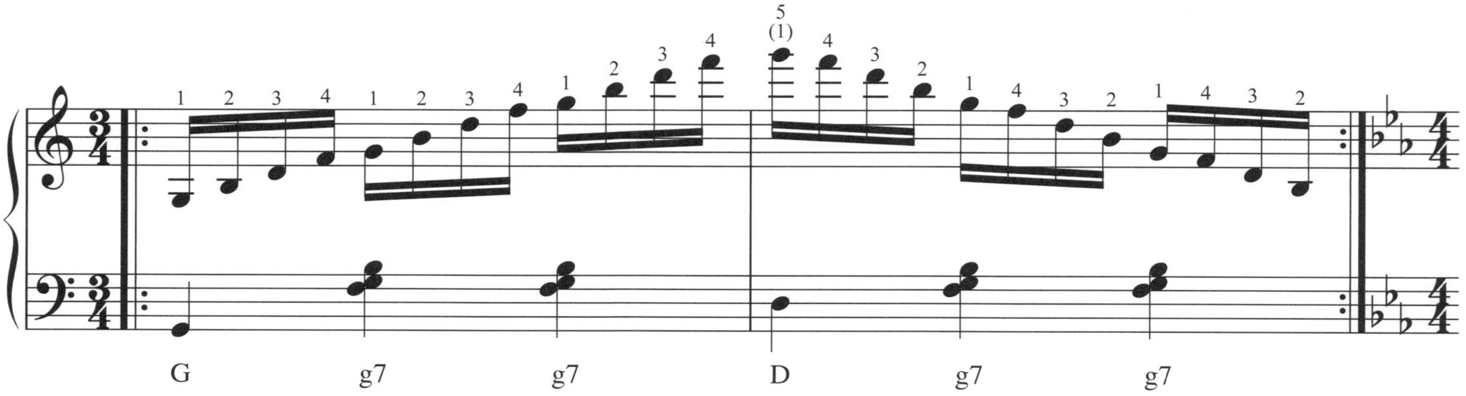

G g7 g7 D g7 g7

Moll-Septimakkorde:

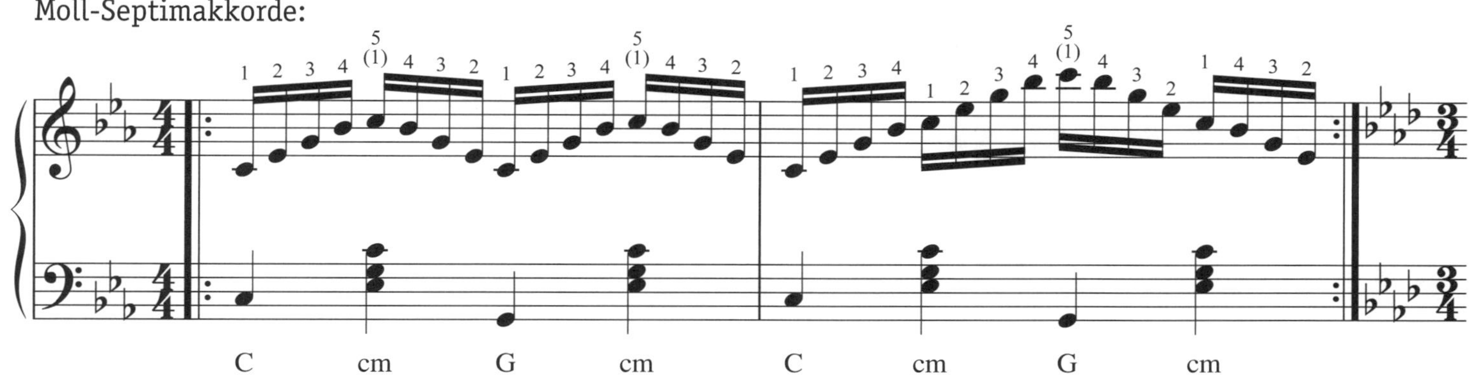

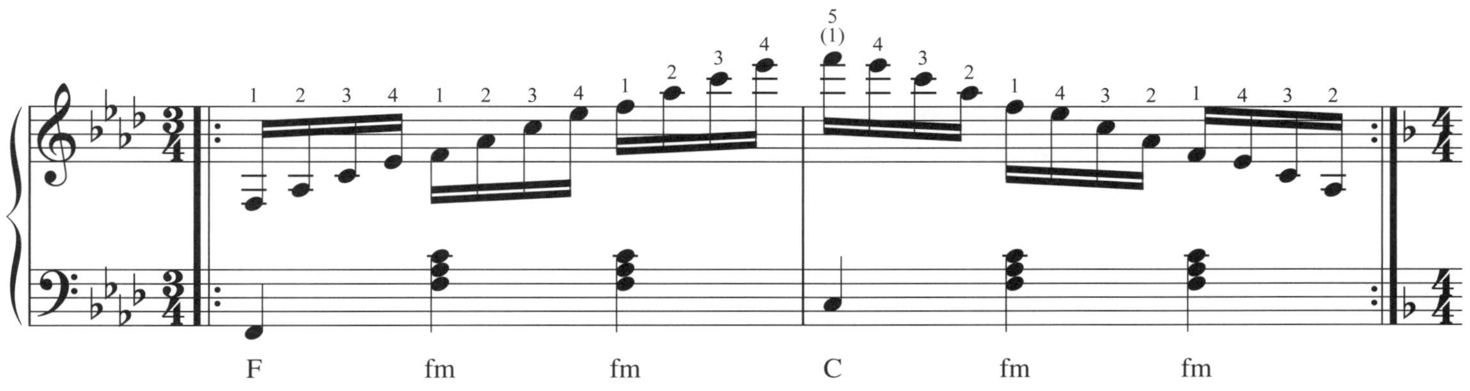

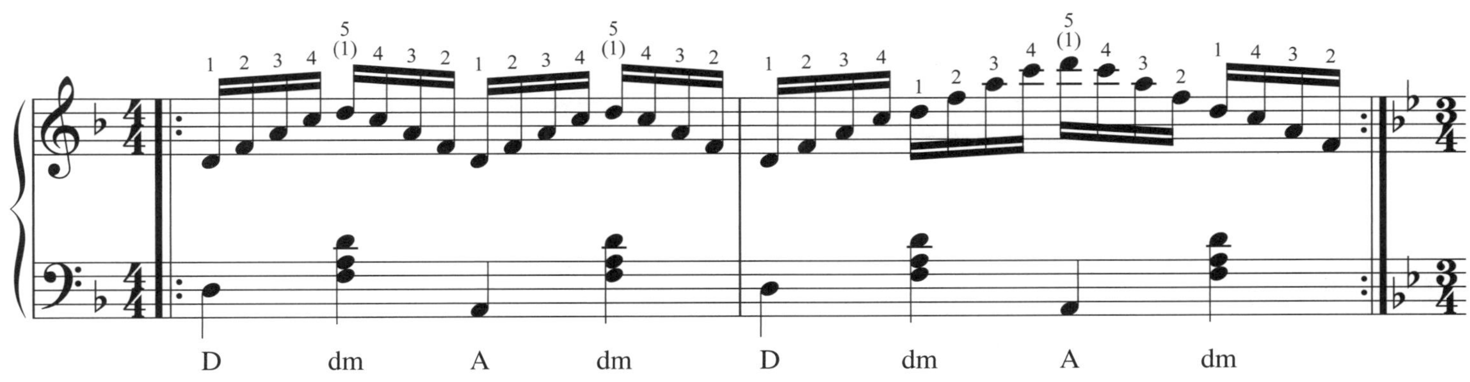

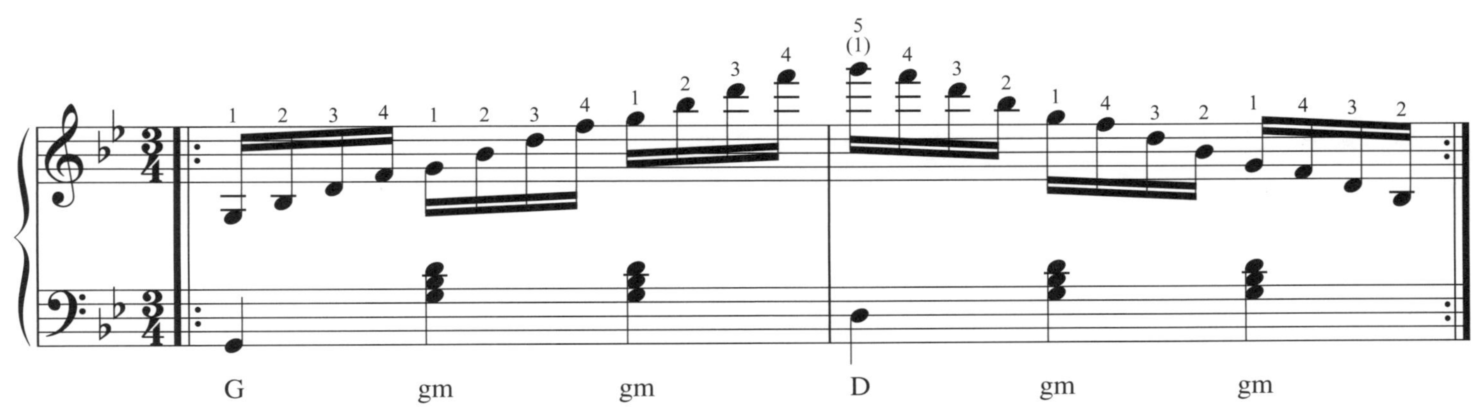

16) Blues-Fingerübung

17) Akkordzerlegungen über einen Blues

VIDEO
17

Die folgende Übung ist eigentlich ein Blues mit den Akkorden C^6 – $F^{7/9}$ – C^6 – G^7 – $F^{7/9}$ – C^6. Zuerst legato, dann tenuto und in allen denkbaren Tonarten und Umkehrungen spielen. Auch punktiert und mit gemischten Artikulationen.

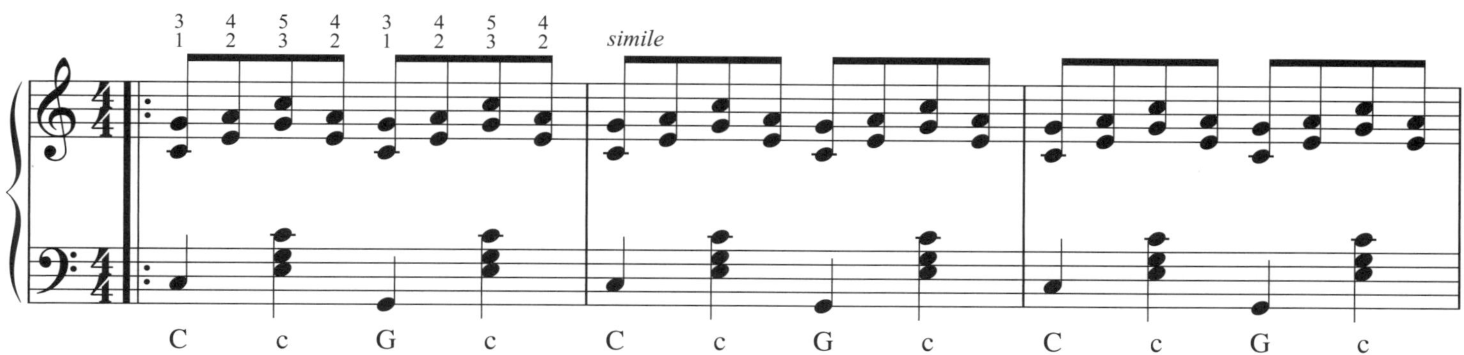

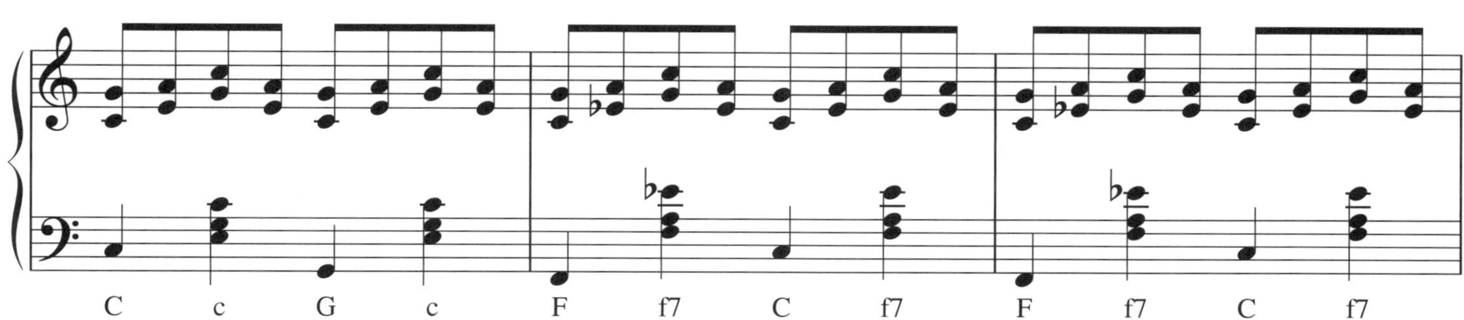

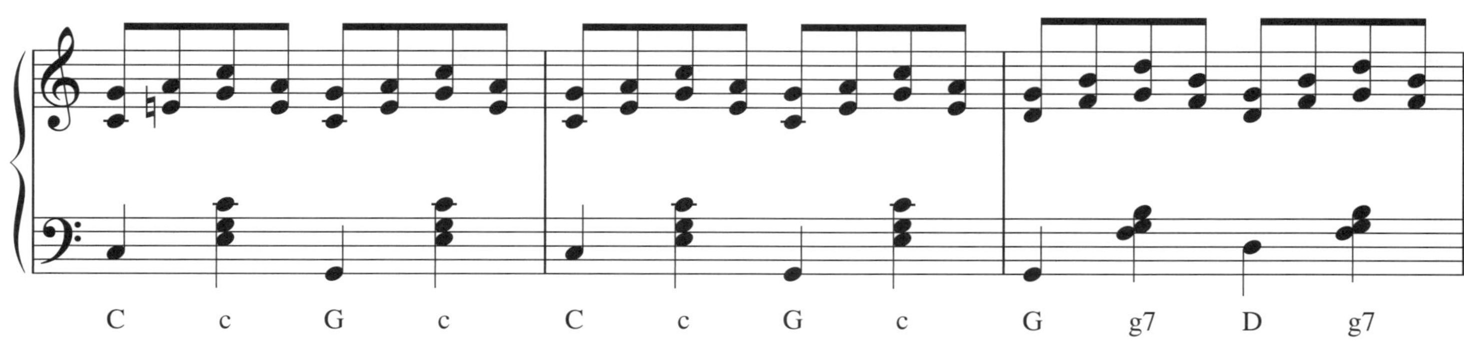

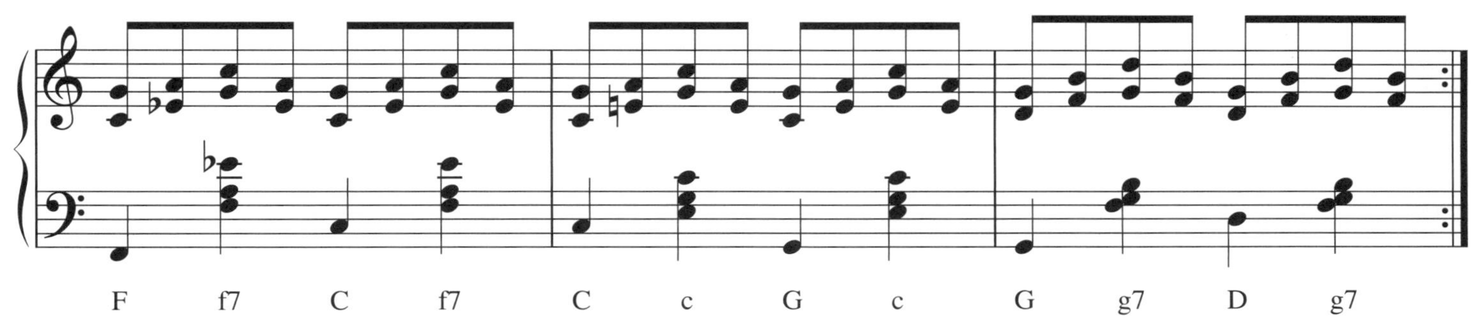

18) Akkordzerlegungen über Jazzharmonien

VIDEO
18

Bei Jazzstandards (z. B. im Real Book) stehen die Changes (internationale Akkordbezeichnungen) gewöhnlicherweise über der Melodiestimme. Möchte man sich mit der Akkordstruktur „anfreunden", versucht man die Akkorde zu analysieren und die Stücke anstelle der Melodie mit Akkordzerlegungen in der rechten Hand zu spielen.

D7/9/A — simile — A♭°

d7 A — d° G♯

5 Gm7 — C7/9 — F° — F6

gm G — gm C — f° F — dm F

9 Fm7/9 — B♭7/9 — Em7 — A7(♭9 ♯5)

fm F — b♭7 B♭ — g E — b♭° A

13 D7/9 — Dm7 — A♭°

d7 D — f D — a♭° A♭

17
D7/9/A
A♭°
d7
A
d°
G♯
21
Gm7
C7/9
F°
F6
gm
G
gm
C
f°
F
dm
F
25
Fm7
D⌀
Em7
Am7
fm
F
fm
D
g
E
am
A
29
Dm7
G7(♭9)
Em7
A7/9
f
D
f°
G
g
E
a7
A
33
Dm7
G7/9
C6/9
dm
D
g7
G
am
C

19) Kadenzspiel

VIDEO
19

Beim Akkordeon liegen auf der Bassseite die drei wichtigsten Stufen zur Bestimmung einer Tonart direkt beieinander. Über C (Tonika) liegt G (Dominante), unter C liegt F (Subdominante). Die folgende Übung besteht aus I – IV – V – I – Zwischendominante und führt chromatisch eine Oktave aufwärts.

20) Fünfstimmige Akkorde über das gesamte Manual

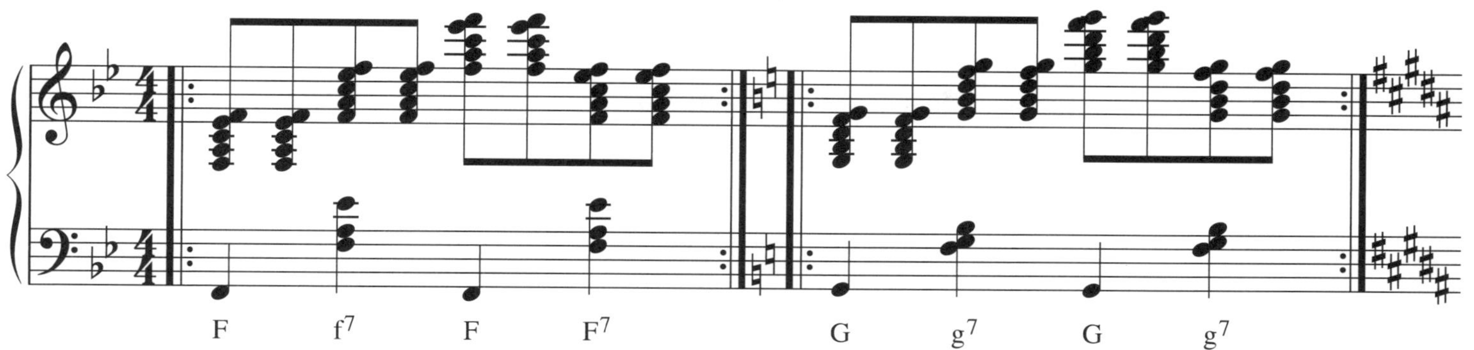

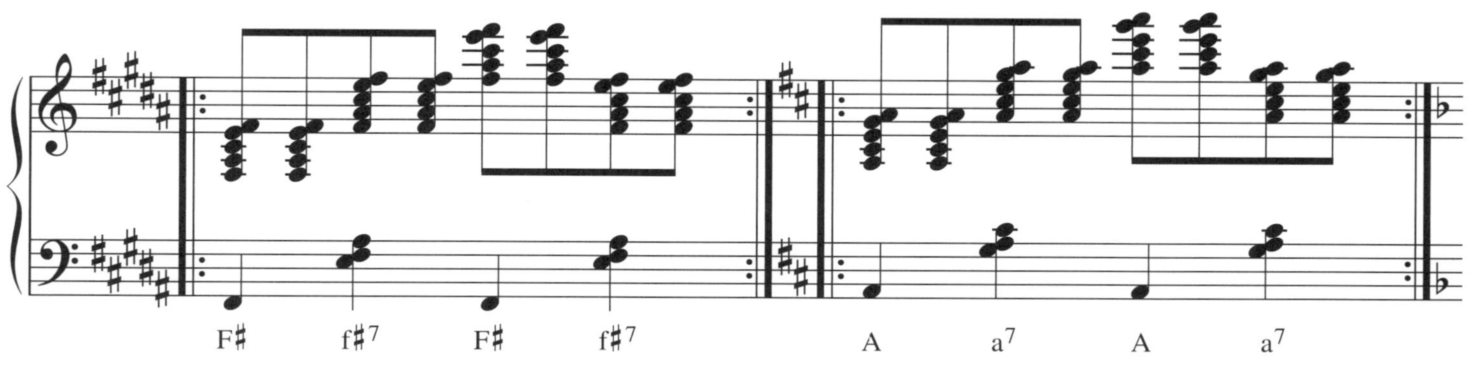

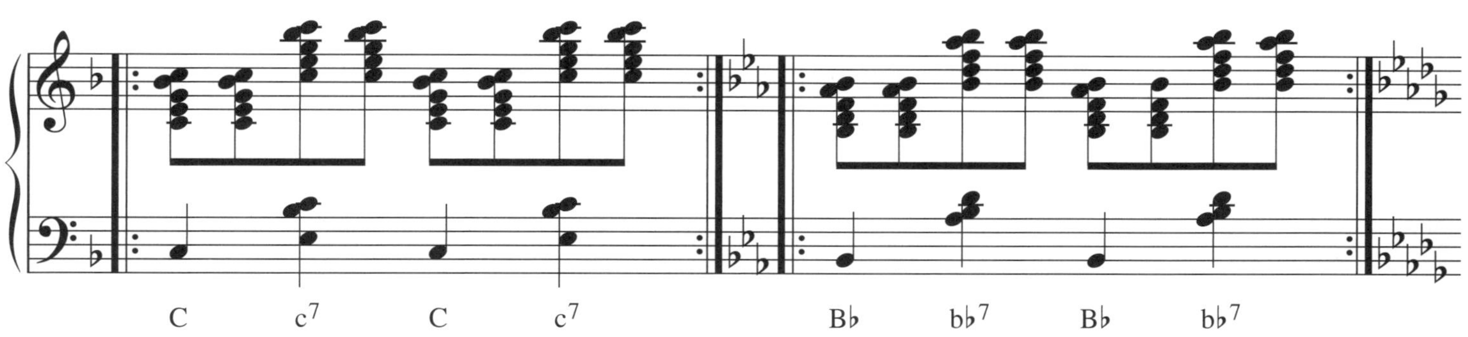

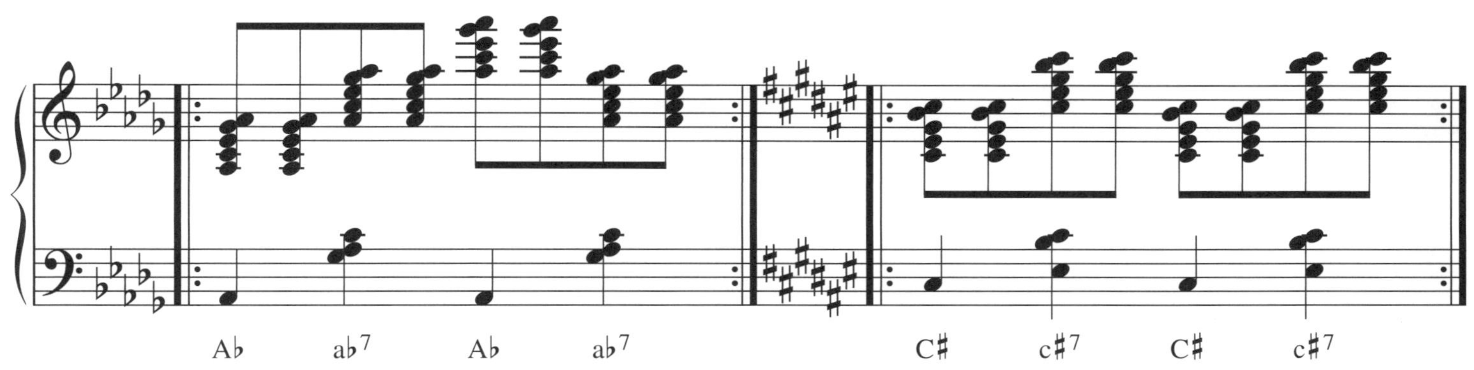

21) Balgkontrolle

Voraussetzung hierfür ist ein gut sitzendes Instrument. Hilfreich sind die schon erwähnten am Körper verstellbaren Riemen und ein nicht zu loser Balgriemen, damit die Hand immer den gleichen Abstand hat. Wichtig ist die gleichmäßige Bewegung des Balges. Auf Zug hilft die Schwerkraft, der Balg „fällt" nach unten. Deshalb sollte beim Drücken auch eine leichte Aufwärtsbewegung des Balges stattfinden.

Bei der folgenden Vorübung wird das c nur einmal gedrückt und gehalten. Das Ergebnis ist dann so wie notiert, weil auf Zug und Druck jeweils eine andere Stimmzunge den Ton erzeugt. Pro Ton und Chor (Registerpunkt) gibt es also zwei Töne (Stimmzungen).

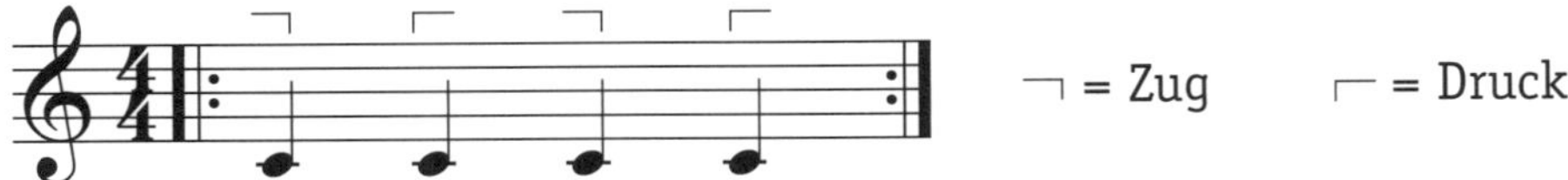

Die folgenden Übungen sollten so gespielt werden, dass keine Pausen entstehen, also streng legato. Langsam beginnen und dann schneller werden!

①

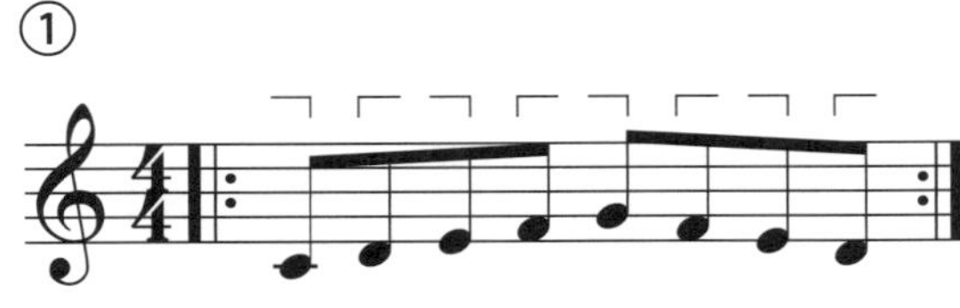

②

③ Zuerst die rechte Hand, anschließend beide Hände zusammen.

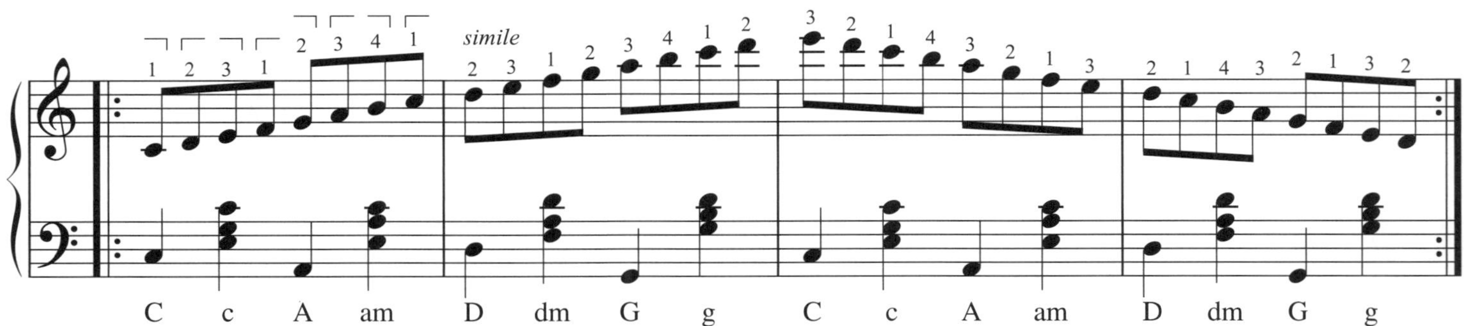

④

simile
1
2
3
1
2
3
C
c
G
g
C
c
G
g
C
c
F
f
4
1
2
3
1
2
G
g
C
c
G
g
C
c
G
g
C
c
3
4
5
4
3
2
F
f
G
g
C
c
G
g
F
f
C
c
1
3
2
1
4
3
G
g
C
c
G
g
C
c
G
g
F
f
2
1
3
2
C
c
F
f
C
c
G
g

5
simile
C c C c G g G g C c C c
G g G g C c C c F f F f
G g G g C c C c G g G g
F f F f C c C c F f F f
C c C c G g G g C c C c

22) Einspielen

VIDEO
22

Das Einspielen ist eine sehr wichtige, aber leider auch oft vernachlässigte Tätigkeit vor dem Üben oder dem Konzert. Dass sich Sportler vor intensiver Bewegung aufwärmen, ist bekannt. Auch für Akkordeonisten ist das von Vorteil! Es hilft nicht nur bei technischen Schwierigkeiten und schnellen Läufen etc., sondern auch bei normalem Schwierigkeitsgrad. Man spielt einfach entspannter und exakter.
Beginnen sollte man mit ganz leichten Übungen. So als ob ein Sportler mit Gewichten läuft oder trainiert. Wenn dann die Gewichte weg sind, läuft man sehr viel entspannter. Für das Akkordeon heißt das: Übungen wie ①, ②, ③ und ④ spielt man zunächst mit großem Druck auf die Tasten, ohne einzuknicken. Das stärkt sowohl Muskulatur und Gelenke als auch die Kommunikation zwischen Kopf und Hand. Nachdem man die Muskeln mit größerem Druck angesprochen hat, geht man zu ganz leichtem und schnellerem Spiel über.
Fast alle Übungen dieser Ausgabe eignen sich zum Einspielen. Hier sind ein paar Favoriten von mir.

①

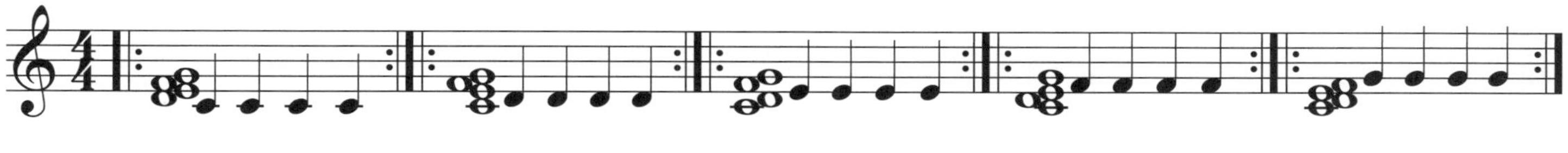

②

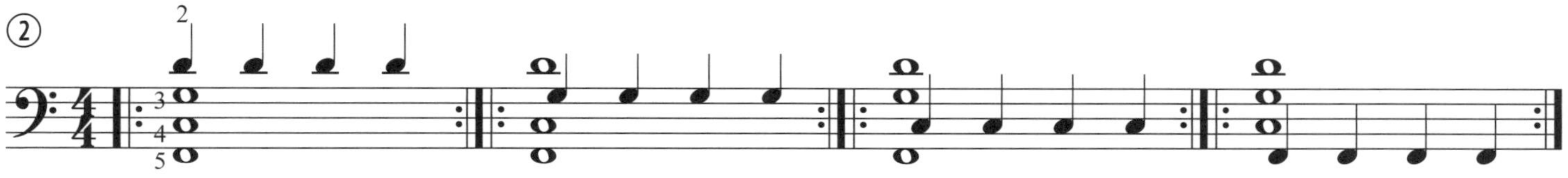

③

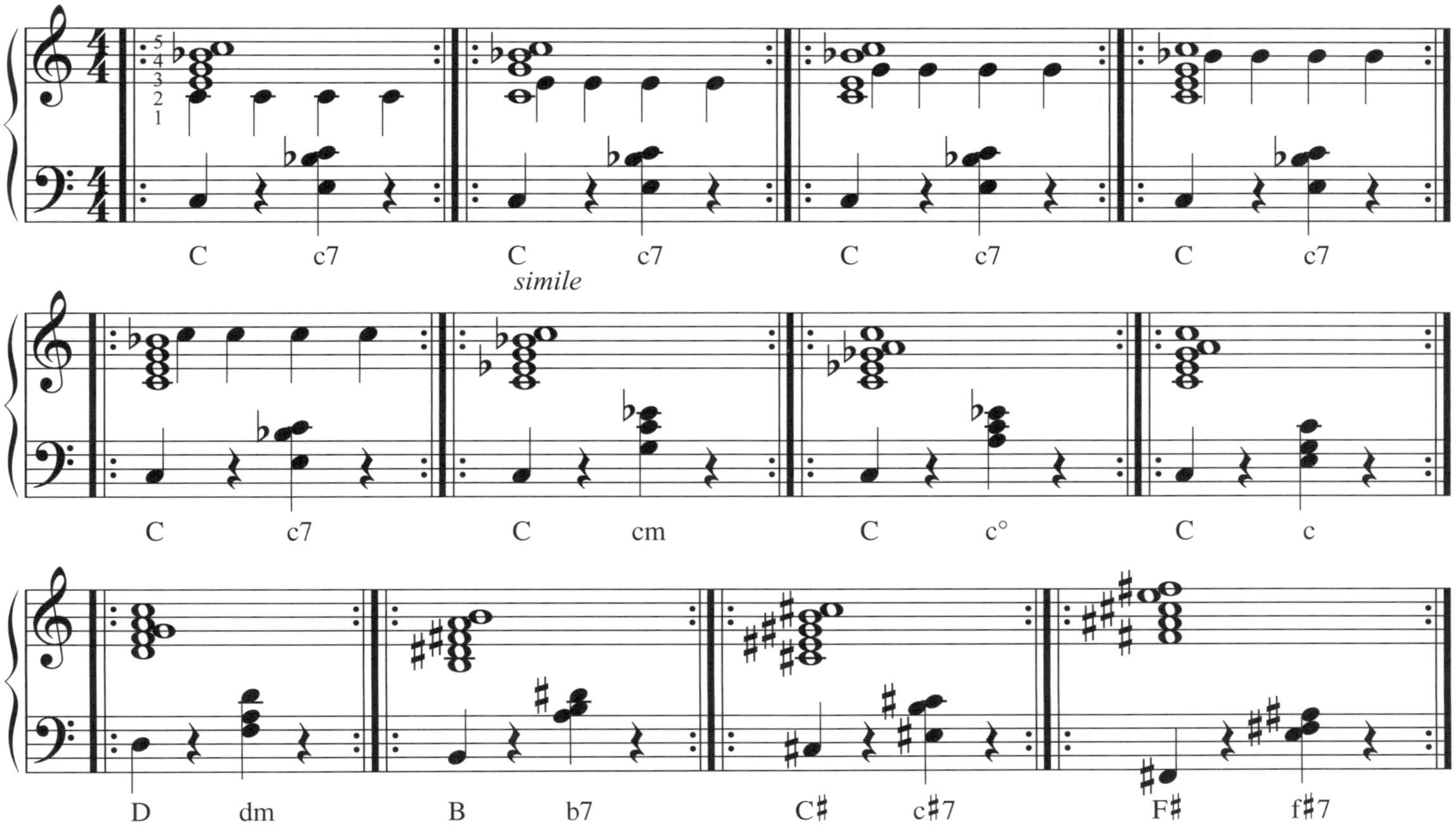

C c7 C c7 C c7 C c7

simile

C c7 C cm C c° C c

D dm B b7 C♯ c♯7 F♯ f♯7

④
3 4 5
1 2 3
C c F f7 C c°

C c D d7 D d7

⑤
1 2 3 4 5 4 3 2
C c C c C c A am D dm G g7

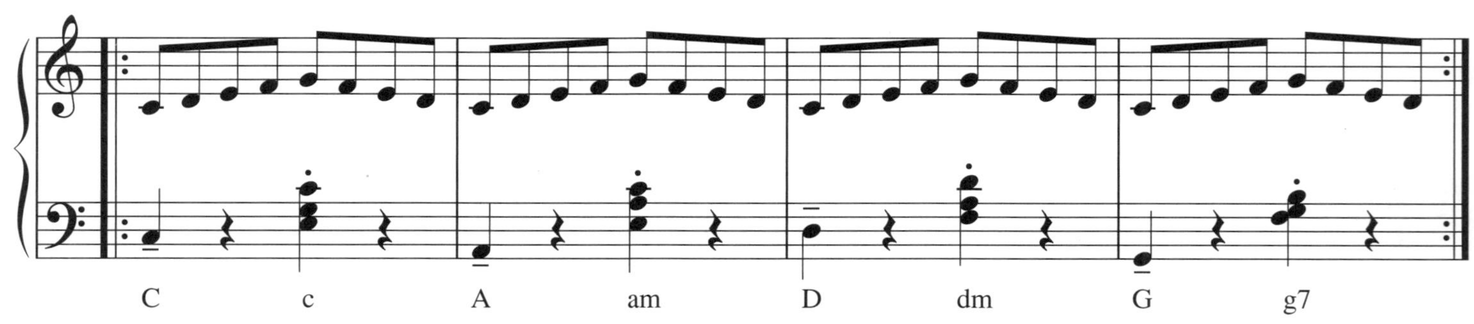
C c A am D dm G g7

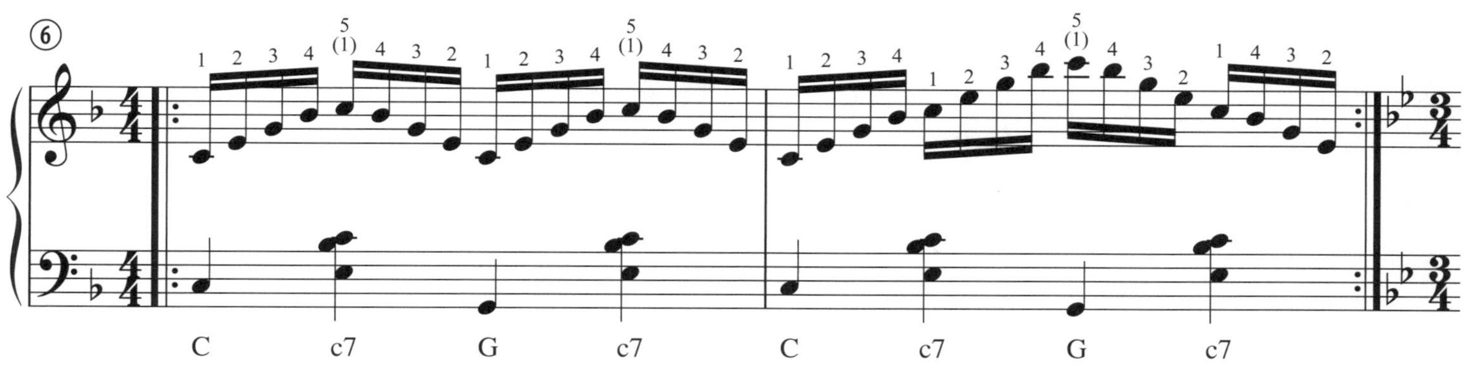
6
C
c7
G
c7
C
c7
G
c7

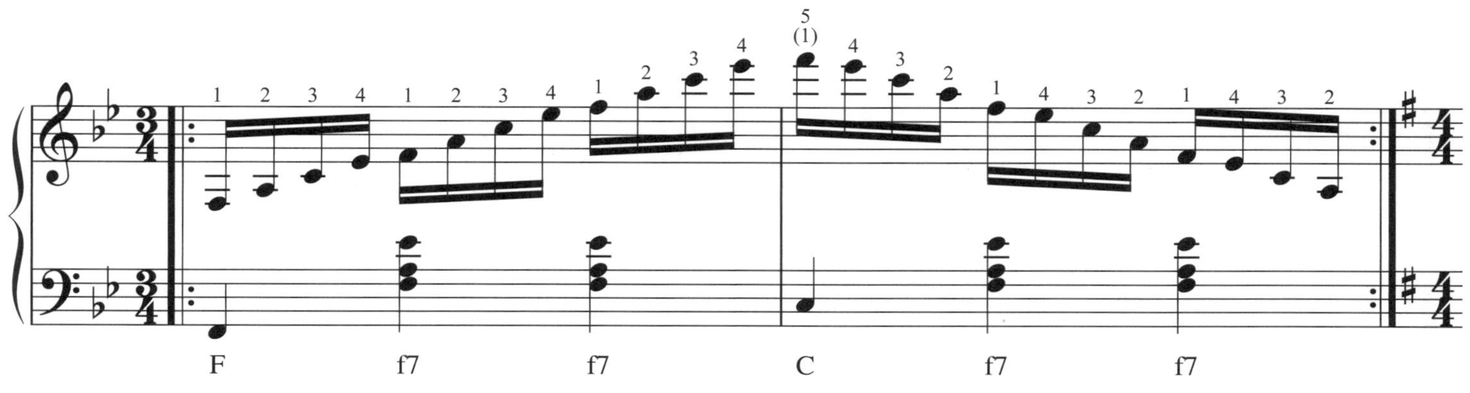
F
f7
f7
C
f7
f7

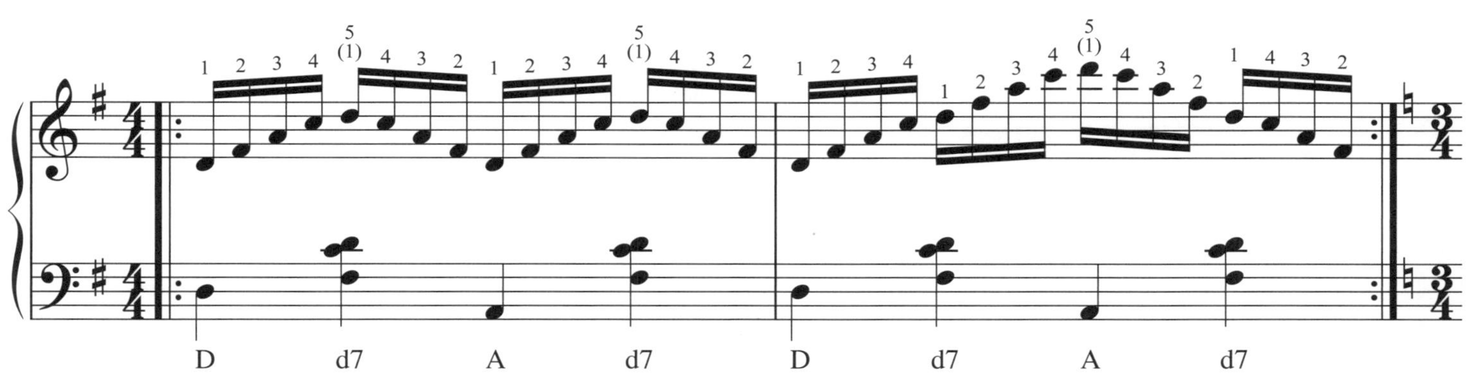
D
d7
A
d7
D
d7
A
d7

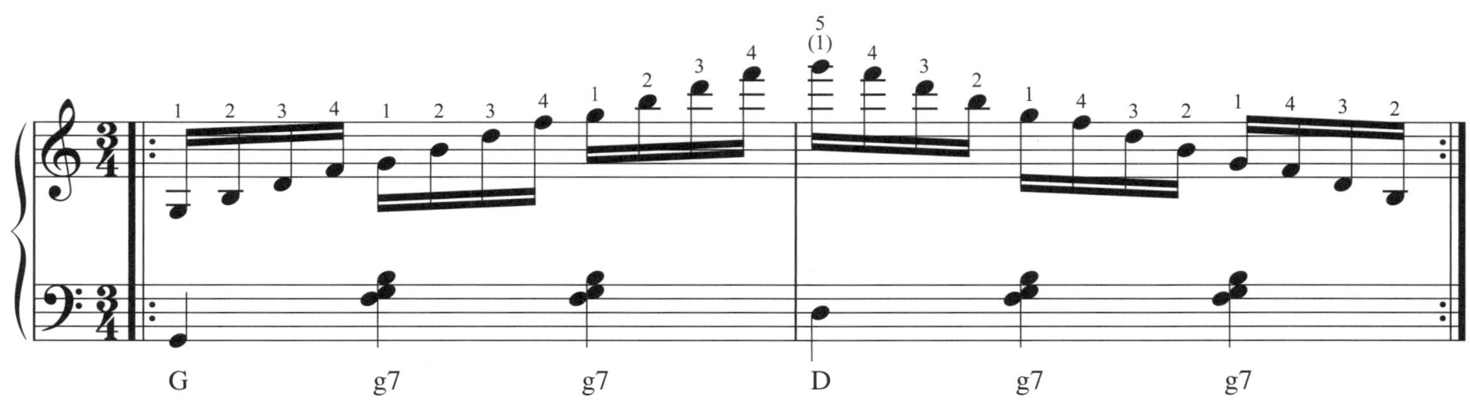
G
g7
g7
D
g7
g7

⑦

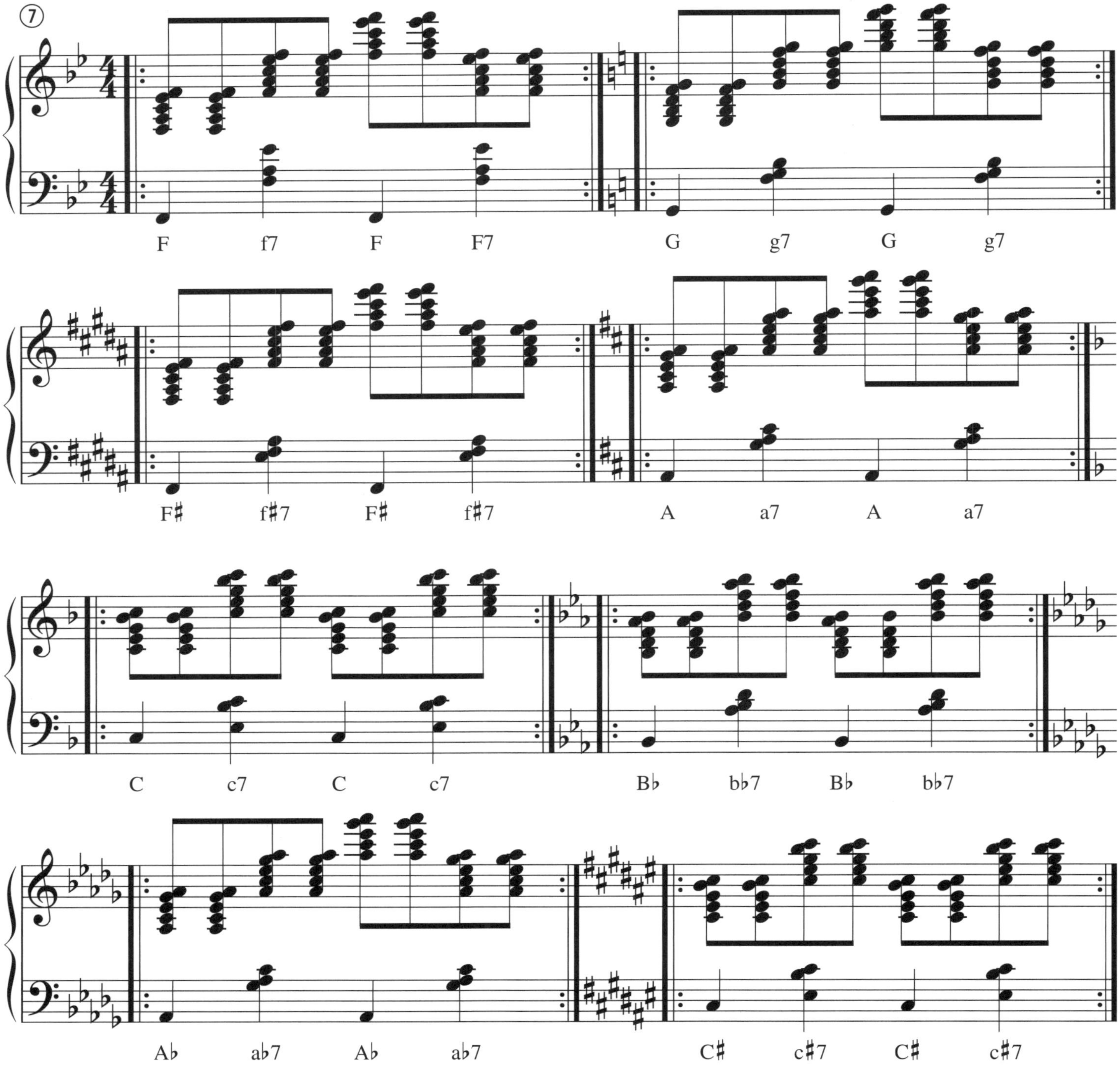

F f7 F F7 G g7 G g7
F♯ f♯7 F♯ f♯7 A a7 A a7
C c7 C c7 B♭ b♭7 B♭ b♭7
A♭ a♭7 A♭ a♭7 C♯ c♯7 C♯ c♯7

⑧ Folgende D-Dur-Tonleiter steht nur als Beispiel für alle anderen Tonleitern, die sich natürlich auch zum Einspielen eignen. Zuerst legato, dann portato, staccato, leggiero, punktiert …

1 2 3 1 2 3 4 1 2 3 1 2 3 4 1 2 3 2 1 4 3 2 1 3 2 1 4 3 2 1 3 2
D d B bm E em A a7 D d B bm E em A a7

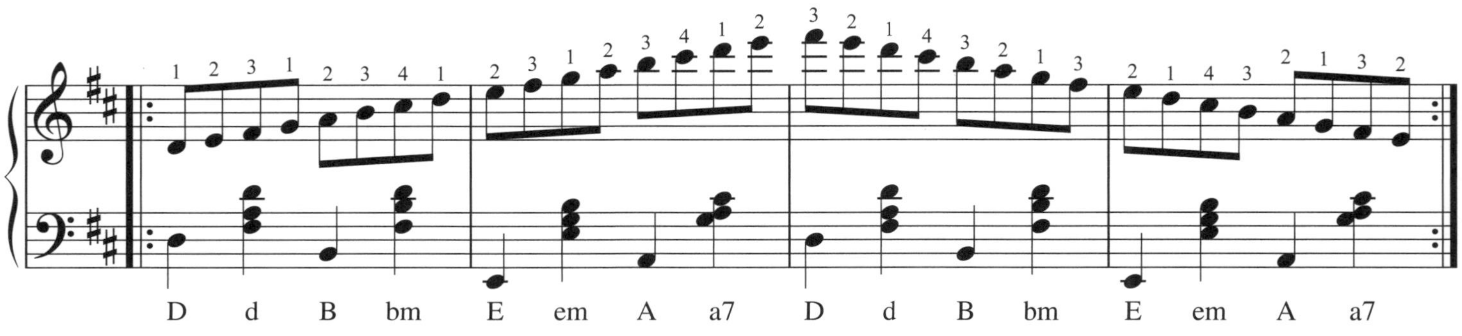